# Vreemde verhalen, goed nieuws?

PUBLIEKSLEZINGEN THEOLOGISCHE FACULTEIT TILBURG
onder redactie van prof.dr. R. Nauta

Birgit Verstappen e.a.

# Vreemde verhalen, goed nieuws?

## *Over Harry Potter en andere helden*

Valkhof Pers

ISBN 90 5625 143 0
© 2003 by the authors/Valkhof Pers, Nijmegen
Omslagontwerp en boekverzorging: Gerrit Vroon, Nijmegen

Verspreiding in België:
Maklu Distributie, Antwerpen

# Inhoud

REIN NAUTA

# Vreemde verhalen, goed nieuws?

Ondanks de klachten over de teloorgang van het boek en een toenemende ongeletterdheid van het grote publiek, beleven uitgaven van de schrijver Tolkien en telkens nieuwe edities over de held Harry Potter ongekende oplagen. Jong en oud zien uit naar hun verschijning en kopen deze werken *en masse*. Het kenmerkende van deze epische reuzen is hun complexe maar heldere en spannende verhaalstructuur die een ontknoping doet vermoeden en laat hopen, een ontknoping waarin de held na talloze omzwervingen het verlossende einde bereikt. Is het al niet deze veronderstelde heilsboodschap die bij de lezer een verslavende begeerte opwekt naar de goede afloop, dan is het wel hun onwerkelijke werkelijkheid waarin een besef van het transcendente resoneert en die een religieus verlangen naar bevrijding en overgave moveert. Hun verlichte belofte dat het goede uiteindelijk overwint is ten slotte de definitieve bevestiging van de waarde van de moderne mens, zelfs als deze als kind of als een archaïsch zoeker uit een rijk van vroeger ten tonele wordt gevoerd.

In een tijd waarin de religie in het leven van velen geen of nog slechts een marginale rol vervult, is deze belangstelling voor zulke vreemde verhalen, voor zulk goed nieuws misschien niet verrassend maar wel opvallend. Waar eeuwenlang in onze streken het evangelie verkondigd is, een blijde boodschap voor ieder die gelooft in de vergeving van zonden, zijn het deze spannende vertellingen die juist de lezer weten te boeien. De vraag die zich dan voordoet is wat het appèl is van deze fantastische vertellingen, waartegen die overgeleverde verkondiging van vergeving en genade het aflegt. Wat is het dat deze verhalen zoveel aantrekkelijker en, gegeven hun miljoenen lezers, schijnbaar van zoveel meer betekenis maakt voor mensen van onze tijd?

Wellicht zijn er enkele aspecten te noemen die in het bijzonder die aantrekkelijkheid van deze fantastische literatuur bepalen: de smaak voor het geheimzinnige, het verlangen weer kind te zijn, verveling als het ergste kwaad.

Het geheim verdubbelt de werkelijkheid, overstijgt deze, verdiept het bestaan. Naast wat vanzelfsprekend is, en voor aller ogen toegankelijk, geeft het geheim aan dit gewone een achtergrond die pas het gewone als gewoon doet verstaan. De ontdekking van het geheim maakt eenzaam. Waar het kleine kind alles zegt wat het denkt en voelt, alles benoemt wat het ziet, vereist het verzwijgen van wat geheim is distantie en beheersing. Zulke afstand en controle zijn vooral ook gericht ten opzichte van het eigen ik. Het geheim maakt het kind zich van zichzelf bewust als van een ander, het vereist reflectie en overleg. Waar men zich eens als vanzelf verbonden wist met alle anderen, is men door het geheim geïsoleerd en alleen. Geheimen veronderstellen zelfbewustzijn, de zekerheid anders te zijn dan anderen.

Misschien bepaalt juist wat men niet wil tonen, wat geheim is – meer dan wat wel van ons bekend is – de eigen identiteit. Pas in ons diepste onuitsprekelijke verlangen zijn wij misschien wie wij willen zijn. Geheime gevoelens en verlangens die men alleen zelf kent en die niet mee te delen zijn, vormen wellicht voorwaarde om zelfs iemand te kunnen zijn (Meares, 1976). Zulke geheimen die men alleen voor zichzelf wil houden omdat hun vertoning ons beschaamt, dwingen echter ook tot openbaring vanwege hun proclamatie van een eigen ik. Het verlangen het geheim te vertellen neemt toe met de inspanning die het kost het te verzwijgen. Zelfs in het verborgen kwaad, het geheim van eigen tekorten en falen, van verboden verlangens, van afgunst en jaloezie, zit een behoefte zich te profileren in het excelleren. Een behoefte die gepaard gaat met een verlangen voor die uitzondering erkenning te ontvangen. Het vertellen van een geheim heeft bovendien ook in zichzelf iets bevredigends omdat het ongehoorde zo toch nog plaatsvervangend expressie vindt.

Het geheim, het besef dat er meer is dan wij zien en menen te weten, wekt verlangen en angst. Geheimen zijn misschien wel de motor van de leergierigheid van kind dat lezen leert. Naar de mate dat het kind leert geheimen te bewaren en te delen, des te aantrekkelijker wordt die andere wereld van de literatuur, van televisie, van film en computerspelletjes. Elk spel, elk boek, elke film waarin het kind zich verliest maakt een andere onbekende wereld open die het eigen leven achtergrond en diepte geeft. Tegelijk vermenigvuldigt zulk bezig zijn met het fantastische en wonderlijke deze verdubbelde werkelijkheid doordat deze op haar beurt weer zicht biedt op nieuwe geheimenissen binnen het kader van de verhaalde gebeurtenissen. Als in het sprookje van Grimm gaan zij erop uit om het griezelen te leren, om zo de eigen angsten te kunnen beheersen. Bij dit alles geldt de esthetiek van het komische – hoe normaler alles verschijnt, des te dwingender het vermoeden van het ongewone. De lezer is het nieuwsgierigste wezen ter wereld. De geringste aanwijzing dat men wat voor hem verborgen wil houden mobiliseert zijn lust om te spioneren en te ontdekken. Zo ook bij de boeken van Harry Potter. Meegesleept door de gang van het verhaal, steeds gesteld voor nieuwe raadsels die op laconieke wijze worden geïntroduceerd, waardoor zij verschijnen als behorend tot het alledaagse, wordt de lezer geplaatst in de rol van de speurder die de geheimen wil ontdekken en ontraadselen. Wellicht is de belangrijkste vraag waarmee de lezer worstelt die van goed en kwaad, zij het dat deze er vooral een is van wie tot de goede partij behoort en wie niet. Goed en kwaad zijn dus vooral een vraag van identiteit en identificatie. Aanvanke-lijke lichtgelovigheid wordt later afgestraft, wat op het eerste gezicht betrouwbaar leek blijkt vals te zijn, wie goed scheen kwaad. Gaande het verhaal wordt de lezer zo door wantrouwen bevangen. De merkwaardige paradox van deze wonderlijke lectuur is dat de lezer, uitgenodigd tot over-gave, zichzelf verliezend in het geheimzinnige, zich al lezende transfor-meert van goedgelovige tot scepticus.

## 2. HET VERLANGEN WEER KIND TE ZIJN

Niet slechts het geheimzinnige maakt de aantrekkingskracht uit van deze wonderlijke verhalen. Het zijn niet alleen kinderen die tot de lezers beho-ren van deze vreemde vertellingen, van deze fantastische literatuur. Het is ook de fascinatie van het mogelijke die zoveel ouderen, gebonden aan de conventies van een burgerlijk bestaan, de verhalen van Harry Potter doet verslinden. Zij vereenzelvigen zich met de hoofdfiguur in diens ambigu-teit van zwakte en kracht. Zij zien zichzelf zo graag weer als het kind, de jongen die op reis gaat op zoek naar zijn bestemming. Zij herkennen in het verhaal van Harry Potter de mythe van het goddelijk kind dat ondanks alle tegenslagen en verraad zijn belagers overwint en brenger wordt van het heil dat de wereld verlost van het kwaad. In die lezing staat het kind voor de vrijheid, openheid, mogelijkheid. In de romantische visie waarin het eigene van het kind als onderscheiden van de volwassene wordt gezien,

9

staat het kinderlijke voor onschuld en argeloosheid. In die visie staat kinderlijke onschuld niet voor de afwezigheid van seksuele verwarring maar voor principiële morele integriteit. Zulke moraliteit uit zich in mythen en sprookjes als een spontaan vermogen tot medelijden met al het geschapene. Ook bij Harry Potter is het zedelijk onvermogen de vijand te doden zijn sterkste wapen, ofschoon het hem schijnbaar weerloos maakt. Zulke kinderen spreken nog de taal van de dieren en de dingen. In een van de eerste optredens waarin zijn toverkracht verschijnt, spreekt Harry Potter zorgeloos met een slang uit de dierentuin. Het kind is nog de hoeder van de rede van het hart, waarin liefde en vriendschap meer betekenen dan geld en macht (Mattenklott, 2003). De kindertijd lijkt zo een bestaan te bieden waarin het leven nog goed was. Met name in tijden waarin de maatschappelijke belasting groot is en het individuele bestaan onder druk staat, lijkt een bestaan als kind een uitweg te bieden uit al die zwarigheid van het gewone leven. De vrijheid van het spel, de nabijheid van de natuur lijken een paradijs te verbeelden dat des te aanlokkelijker is naarmate het eigen bestaan als ongelukkiger verschijnt. Daar is de waarheid te vinden die in het gewone leven zozeer ontbreekt. Het verlangen naar de kindertijd kan in de lectuur van het fantastische plaatsvervangend worden gerealiseerd. Daar is een wereld te vinden die gekenmerkt wordt door vriendschap, door een harmonische verbondenheid met de natuur, waarin het grensgangerschap tussen het gewone en abnormale een eigenschap is van het alledaagse. Het is een escapisme dat zijn parallel vindt in de bewondering voor het fantastische van de communicatieve digitalisering en de mediale globalisering. Het verlangen weer kind te zijn is eigenlijk zo de uiting van het paradoxale verlangen naar almacht én onschuld.

### 3. VERVELING ALS HET ERGSTE KWAAD

De vreemde verhalen die onze belangstelling wekken zijn niet louter geschikt voor consumptief vermaak, zo lijkt het. Nauwelijks verhuld komen alle grote thema's van het menselijk bestaan er aan de orde: de zin van het leven, de betekenis van lijden en dood. Ze geven op die vragen geen antwoord maar dwingen tot reflectie. De wereld van deze vreemde verhalen is er een waarin de strijd tussen goed en kwaad wordt geënsceneerd niet als een intrapsychisch fenomeen maar als een gevecht van kosmische dimensies waarin niet alleen de mens maar de hele natuur is betrokken.

Waar in de vertellingen van Tolkien die strijd zich afspeelt in een wereld die geheel anders is dan de onze, gaan de boeken van Harry Potter uit van een werkelijkheid met twee tonelen verbonden door liminale domeinen, zoals halve perrons die naar Zweinstein leiden. In de volstrekt andere, archaïsche wereld van de Heren van de Ring lijkt er geen verbinding te zijn met ons eigen leven, behalve waar die strijd wordt geduid als een icoon van de menselijke humaniteit. Waar de werkelijkheid zelf dubieus lijkt te zijn, is de strijd tegen het kwaad echter allereerst een persoonlijke queeste. Alleen kinderen vinden de weg naar die andere kant van de werkelijkheid. Zij zijn in staat het gevecht aan te gaan met wat als het boze verschijnt, zij het Sauron, zij het Voldemort.

Wat deze protagonisten van het kwaad gemeen hebben, is hun rol als tegenspelers van het goede. Hun functie is die van het scheppen van geschiedenis, zij verdrijven de tijd. Zonder het boze, zonder het kwaad verliezen deze vreemde verhalen de louterende spanning die hun grootste appèl lijkt te zijn. De kracht van deze vreemde verhalen ligt in het esthetisch genoegen dat zij bieden van de vlietende en vluchtige wisselwerking tussen de evocatie van het verhaalde gebeuren en het bewustzijn van de fictionaliteit van de vertelde handeling. Verhalen als geschiedenis vragen om verstoring en tegenwerking opdat er wat gebeurt dat men kan vertellen. Het kwaad in deze vreemde verhalen constitueert de geschiedenis, een verhaal dat er zonder de werking van het boze niet zou zijn. Ondanks de gelijkenis met het in de christelijke traditie centrale drama van verzoening en verlossing, gaat het in de fantastische theologie van deze vreemde verhalen slechts om een garantie van de voortgang van de fictieve handeling, om een spannende afloop van de gebeurtenissen.

De fictionaliteit van het kwaad correspondeert met een maatschappijbeschouwing waarin het feest domineert, het evenementiële op de voorgrond staat en elk besef van verleden en traditie verloren is gegaan. De waardering voor deze spannende boeken bij jong en oud is wellicht vooral in deze trivialisering van het boze te vinden. Zulke literatuur biedt niet alleen een escapisme uit een al te beperkte en te drukkende samenleving, maar is vooral het verlengde van een pogen de complexiteit van de maatschappij te reduceren tot een eenvoudig voor of tegen. In zo'n wereld worden dilemma's systematisch gereduceerd tot schandalen (Finkielkraut, 2002). De afkeer van het problematische is ook een verzet tegen de volwassenwording. De aantrekkingskracht van het dramatisch boze, de interesse in deze spannende boeken, die bestaan bij de gratie van de eenvoud van het fictieve kwaad, is ook een poging de verveling te verdrijven die het dilemma maskeert van de teloorgang van het vanzelfsprekende. Verveling is een kenmerk van de puberteit – als de seksualiteit ontwaakt, als het leven verandert, als wat vertrouwd was vreemd wordt. Het kind heeft dan nergens zin in omdat het in tegenstelling tot voorheen zin moet maken in een bestaan dat het karakter van het gewone is kwijtgeraakt. Waar het kind gewend was zich te voegen in wat al bestond, wordt het nu gedwongen positie te kiezen, wordt wat eerder als gegeven leek te bestaan nu tot keuze. Het is die fase van het leven waarin op alle terreinen van het leven gekozen moet worden – voor wat men wil gaan doen, voor wie men wil zijn, voor met wie men wil verkeren. Het zijn vragen die men het liefst nog wat wil ontwijken. Immers, het grootste gevaar is het verkeerde te kiezen, niet alles is goed. Wat ooit zo vanzelfsprekend scheen, vol zin, is – nu blijkt dat het ook anders kan – verdacht geworden. Verveling als reactie op de potentie van het kwaad, de verkeerde keuze, is vooral ook uitdrukking van het verliezen van zin, van de zin die correlaat was met het gewone en vanzelfsprekende (Nauta, 2003). Staande voor existentiële keuzes voelt men zich wellicht het meest bedreigd maar ook verleid door het kwaad.

Het meest bedroevend is dat ook zij die naar leeftijd de puberteit al achter zich hadden moeten hebben en enige richting zouden moeten geven in het bieden van een heilzaam perspectief, zich evenzeer maar al te graag verliezen in de schijnwereld van de eenvoud, in het omarmen van het politiek correcte in plaats van in het durven spreken van een goed woord.

In *Vreemde verhalen, goed nieuws?* worden de boeken van Harry Potter en Tolkiens *Lord of the Rings* onderzocht op de mate waarin zij goed nieuws te brengen hebben aan de lezer. Het antwoord is verscheiden. De ene auteur ziet in de wereld van Potter een akelige replica van de onze, een ander meent juist dat diens geschiedenis een pleidooi biedt voor de verbeelding en als zodanig ruimte maakt voor een wereld die anders is dan de onze. De ene geeft een seculiere interpretatie van de cyclus van de Ring, de ander ziet er een milde verwijzing in naar een goddelijke betrokkenheid bij ons aardse bestaan. De lezer moge zich een oordeel vellen over de waarde van een en ander. Bij dit alles blijft de vraag prangen waarom deze vreemde verhalen zovelen weten te binden; deze inleiding moge een poging zijn aan het antwoord op die vraag enkele cultuurrelevante inzichten te verbinden.

# Literatuur

Finkielkraut, A. (2002), *L'Imparfait du Présent*, Gallimard: Parijs.

Mattenklott, G. (2003), 'Harry Potter – phantastische Kinderliteratur', in: *Stimmen der Zeit*, 221, 1, 39-51.

Meares, R. (1976), 'The secret', in: *Psychiatry*, 39, 258-265.

Nauta, R. (2003), 'Zin, zorg en zonde – enkele aspecten van een psychologie van de geestelijke leiding', in: *Praktische Theologie*, 30, 316-324.

BIRGIT VERSTAPPEN

# De Magie van het Heldendom in een troosteloze wereld

## I. INLEIDING

Een verhalenvertelster staat nooit op zichzelf, maar bevindt zich in een historische, sociale, politieke, economische context, die mede bepalend is voor de vorm en inhoud van het verhaal dat zij vertelt. Een verhaal bevat daarom ook niet alleen de betekenissen die de schrijfster bewust wil meedelen aan de lezer/es, maar geeft altijd ook zicht op de wereld van de schrijfster. Over het algemeen sijpelen met name dominante visies op wereld, mens, natuur moeiteloos in een verhaal door. Zo vertelt een verhaal ons méér dan de schrijfster zelf intendeert. Het laat zien wat vanzelfsprekend en normaal is, wat wel en wat niet behoorlijk is in de wereld waarvan de schrijfster deel uitmaakt. Dit geldt ook voor de verhalen die Joanne K. Rowling ons vertelt over de weesjongen Harry Potter. Wellicht zijn deze verhalen daarom ook, ondanks alle vreemde wezens en tovenarij, zo herkenbaar voor ons en misschien is deze herkenbaarheid een belangrijke factor in het succes dat de schrijfster met deze verhalen boekt, bij zowel kinderen als volwassenen. Want behalve dat de verhalen goed geschreven en fantasierijk, grappig, spannend en dynamisch zijn – een soort Steven Spielberg-actiefilm in boekvorm, een *must* wil men de rusteloze en sensatiebeluste lezer/es van de 21ste eeuw geboeid houden –, zij voeren ons ook binnen in een troosteloze wereld die helaas erg veel op de onze lijkt. Dat troosteloze valt de lezer/es in eerste instantie misschien niet op. De verhalen bieden immers volop ruimte voor het spelen met fantasieën over magische en volkomen onverwachte oplossingen uit complexe, ondoorzichtige en levensbedreigende problemen. Het creatieve element in de verhalen boeit en prikkelt en stemt ons hoopvol. En dan is er nog de schrijfster zelf, die een geweldige revanche neemt op de teleurstellingen en miskenning die haar eerder in haar leven ten deel vielen. Ook háár successtory lijkt mij deel te zijn van de aantrekkingskracht die het boek heeft op de volwassen lezer/es. Van bijstandsmoeder tot miljonair, is dat niet waarover wij stiekem dromen? Door ons met haar en in het lezen met Potter te identificeren vindt bovendien een zalige ontlading plaats van de spanningen die wij opbouwen in een wereld die voortdurend onze 'zelfwording' benadrukt, zonder belangeloos ons 'zijn' te bevestigen. Tot slot is er natuurlijk nog de aansprekende boodschap dat er een tovenaarsjongen bestaat die een succesvolle strijd voert tegen het kwaad. Hoe ondoorzichtig het kwaad voor ons ook geworden is, hoe uitzichtloos de vele wereldproblemen ons ook toeschijnen, we mogen het onverwachte nooit uitsluiten. Wie weet wordt er op dit moment, ergens in een laboratorium, een middel gebrouwen dat oorlog, armoede en milieuvervuiling uit de wereld helpt.

Eerst zal ik kort enkele punten van herkenning aanstippen die er tussen onze wereld en die van de tovenaarsjongen Harry bestaan (2). Vervolgens ga ik, in een drietal paragrafen, nader in op wat ikzelf als het meest troosteloze ervaar in de Potter-verhalen; te weten de eindeloze competitie (3), het nagenoeg geheel ontbreken van intieme en liefdevolle relaties (4) én het ontbreken van richtinggevende verhalen (5). Daarna beargumenteer ik de stelling dat de Potter-verhalen met name de narcistische lezer/es, die voortdurend twijfelt over zijn/haar eigen waarde, sterk aanspreken (6). Ik besteed tot slot aandacht aan de wijze waarop in de verhalen over Potter strijd tegen het kwaad wordt gevoerd en ben op basis van deze analyse minder rooskleurig gestemd dan het Vaticaan, dat op 3 februari 2003 zijn zegen geeft aan de held Harry Potter.[*] In deze paragraaf laat ik een ander geluid horen, waarin de aandacht wordt gericht op het bewust en liefdevol (be)leven van de relaties, waarin wij onontkoombaar staan (7).

## 2. HERKENNING

De wereld van Harry Potter en zijn vriendjes Ron en Hermelien is ondanks alle magie erg herkenbaar. Denk bijvoorbeeld aan de afwezigheid van contact met de niet-menselijke natuur. De leerlingen hebben ieder weliswaar een eigen toverhuisdier, zoals een uil of een kat. Ook krijgen zij les in de verzorging van fabeldieren of het kweken van planten. Maar hun tijd brengen ze door in een door tovenaarshand ingerichte wereld: de school, het schoolterrein, een dorp vol met winkels en drinkgelegenheden, een drukke winkelstraat. Een wandeling door landerijen of spelen in het bos is er niet bij. Dat is gevaarlijk, onbekend terrein. Herkenbaar is ook het grote vertrouwen in de medische wereld. Erg zorgvuldig hoeven

[*] Zie ook noot 1 in de bijdrage van Hetty Zock aan deze bundel.

de leerlingen niet met hun lichaam om te gaan. Een verbrijzelde arm is in een mum van tijd met behulp van medische tovervaardigheden weer gemaakt. Er zijn echter wel grenzen; tegen de dood is nog geen tovermiddel opgewassen. Harry Potters wereld kent verder, net als de onze, klasse- en rasverschillen. Men kijkt neer op Dreuzels en op reuzen en trollen. Er zijn ook huiselfen, een soort van slaven, die absolute gehoorzaamheid aan hun meester verschuldigd zijn. Ze mogen geen kleren aan, krijgen geen salaris of vakantiedagen en moeten volledig ter beschikking staan van hun baas. Er wordt wel strijd gevoerd tegen de onderdrukking, maar het gros van de tovenaars kan zich er niet druk om maken. Men is van mening dat de elfen het juist leuk vinden om gekoeioneerd te worden en slaaf te zijn (*Harry Potter en de Vuurbeker*, 98 en 173). Hermelien bijvoorbeeld, die probeert in te gaan tegen de onderdrukking van de elfen en de Stichting Huis-elf voor Inburgering en Tolerantie opricht, krijgt weinig medewerking. Het is waarschijnlijk ook geen toeval dat haar Stichting afgekort het woord SHIT oplevert. Typerend is overigens dat Hermelien een stichting in het leven roept, zonder eerst zelf met de elfen te praten (*Harry Potter en de Vuurbeker*, 184 en 279). Opnieuw herkenning alom, zowel in het bestaan van mensen wier rechten en vrijheid ingeperkt zijn, wier werk vooral de bezitters ten goede komt, als in de eigengereidheid van de bevrijder uit de bezittende klasse om acties op touw te zetten zonder de betrokkenen, in dit geval de elfen, daarin te horen of te betrekken. En dan is er in de verhalen, net als in onze wereld, sprake van een sterke materialistische gerichtheid en opzwepende concurrentie. Zo kunnen de tovenaars het niet nalaten elkaar de loef af te steken. Als ze gaan kamperen heeft de een nog een mooier onderkomen dan de ander.

> Halverwege het veld zagen ze een extravagante creatie van gestreepte zijde die veel weg had van een miniatuurpaleisje, met levende aangelijnde pauwen bij de ingang. Ietsjes verder passeerden ze een tent met drie verdiepingen en een paar uitkijktorentjes en weer een eindje verderop een tent met een uitrolbare voortuin, compleet met vogelbadje, zonnewijzer en fontein. 'Het is ook altijd hetzelfde liedje,' zei meneer Wemel glimlachend. 'Als we onder ons zijn, kunnen we het niet nalaten elkaar de loef af te steken.' (*Harry Potter en de Vuurbeker*, 63-64)

Ook de kinderen ontsnappen hier niet aan. Zij vergapen zich bijvoorbeeld aan het beste merk bezem en raken onder de bekoring van de ontzettend dure Vuurflits, een droombezem onder de bezems. Wie zo'n bezem bezit wordt met respect bejegend. En als je galagewaad oud en uit de mode is, omdat je ouders geen geld hebben voor een nieuw gewaad, word je – opnieuw heel herkenbaar – gepest.

'Moet je dat zien!' zei Malfidus vol opwinding, terwijl hij Rons gewaad aan Korzel en Kwast liet zien. 'Je was toch niet van plan om dit te dragen, Wemel? Ik bedoel – wanneer zal dit in de mode zijn geweest? Zo rond 1890...?' 'Stort in bonken, Malfidus! zei Ron, die ongeveer dezelfde kleur had als het galagewaad dat hij uit de hand van Malfidus griste. Malfidus schaterde honend en Korzel en Kwast hinnikten dom. (*Harry Potter en de Vuurbeker*, 131-132)

Je hebt geld nodig om het in de tovenaarswereld te kunnen maken. Enkele broers van Ron, Fred en George, raken zelfs zo geobsedeerd door geld, dat Ron hen verdenkt van chantage.

'Het komt allemaal door dat plan voor die fopshop,' zei Ron. 'Eerst dacht ik dat ze dat alleen zeiden om ma te pesten, maar ze menen het, ze willen echt zo'n winkel beginnen. Ze hebben nog maar een jaar te gaan op Zweinstein en ze roepen steeds dat ze aan hun toekomst moeten denken, dat pa hen niet kan helpen en dat ze goud nodig hebben om een zaak te beginnen.' (*Harry Potter en de Vuurbeker*, 426)

Met geld of succes oefen je veel aantrekkingskracht uit op anderen, maar het roept ook jaloeziegevoelens op. Als Harry te verlegen is om een meisje mee uit te vragen voor het schoolbal zegt Ron:

'Hoor eens, dat heb je zo gepiept. Je bent kampioen. Je hebt een Hongaarse Hoornstaart verslagen. Ik wed dat ze in de rij staan om met je mee te mogen.' Omwille van hun pas herstelde vriendschap probeerde Ron de verbittering in zijn stem tot een minimum te beperken. (*Harry Potter en de Vuurbeker*, 294)

Ook dat herkent de lezer/es. Net als de vraag die dit streven naar geld en succes oproept: Ben ik geliefd om mijzelf of moet ik eerst wat bereikt hebben? Mag ik er gewoon 'zijn', of moet ik eerst wat 'hebben' of 'worden'? Want als de waarde van een individu vooral ontleend wordt aan de waarde die dit individu toegekend krijgt vanwege prestaties, talenten, succes, hoeveelheid geld e.d., dan ontstaat grote onzekerheid over iemands intrinsieke waarde. Aan deze onzekerheid wordt veel geld verdiend. De commercie speelt hier handig op in en voedt deze twijfel over de eigen waarde. Alleen als wij dit of dat product gebruiken of bezitten zijn wij het waard gezien te worden en zullen wij liefde en aandacht ontvangen. Deze cultuur van uiterlijke schijn, die ook opduikt in de wereld van de tovenaarsjongen Potter, is wel een narcistische genoemd (vgl. Lasch, 1979).

In het nu volgende wil ik ingaan op drie karakteristieken van Harry's wereld die maken dat ik deze als troosteloos ervaar.

### 3. EINDELOZE COMPETITIE

Het Toverschool Toernooi, een toernooi tussen de drie grootste Europese toverscholen waar enkele uitverkoren leerlingen mogen strijden om de Trofee, draait officieel om het bevorderen van internationale vriendschapsbanden, maar in de praktijk draait het vooral om de eer van de school en om geld. Er wordt immers duizend Galjoenen aan persoonlijk prijzengeld toegekend. Daar zijn de kinderen beslist gevoelig voor.

'Ik doe mee!' siste Fred Wemel. Zijn gezicht glom van enthousiasme bij het vooruitzicht op zoveel roem en rijkdom, maar hij was niet de enige (…). Aan alle afdelingstafels staarden de aanwezigen gefascineerd naar Perkamentus en voerden fervente fluistergesprekken met de leerlingen naast hen. (*Harry Potter en de Vuurbeker*, 146)

En hoewel het toernooi een sportieve competitie beoogt, ontstaat er een verbeten strijd. Als Hermelien door een kampioen van een andere school mee uit gevraagd wordt naar het schoolbal, wordt ze er zelfs van beschuldigd met de vijand te heulen.

'Dit hele Toernooi gaat om vriendschappen sluiten met buitenlandse tovenaars!' zei Hermelien schril. 'Niet waar!' schreeuwde Ron. 'Het gaat om winnen!' (*Harry Potter en de Vuurbeker*, 319)

Het is niet verwonderlijk dat het oorspronkelijke doel van het toernooi op de achtergrond raakt en het winnen van het toernooi op de voorgrond komt te staan. De competitiedrift van de leerlingen wordt immers al vanaf dag één aangewakkerd, door de leerlingen in afdelingen in te delen en deze afdelingen vervolgens met elkaar te laten concurreren. In de loop van het schooljaar krijgen de leerlingen, en daarmee hun afdelingen, punten of worden er juist punten afgetrokken. De afdeling die de meeste punten heeft op het einde van het schooljaar heeft gewonnen. De professoren die afdelingshoofd zijn, staan daarbij meestal niet boven de partijen, maar doen mee aan de competitie en trekken leerlingen uit de eigen afdeling voor. Het gaat vaak hard tegen hard.

Het is niet moeilijk hier een vergelijking te maken met de wereld van de arbeid waar bedrijven elkaar op omzet beconcurreren. Daar geldt het *win or lose*. De magische wereld van Harry Potter is in bepaald opzicht voor de ondernemer een *dream come true*. De fanatieke en vaak *rücksichtslose* inzet van de leerlingen en professoren om te winnen, de creativiteit en flexibiliteit van de toverwereld waar totaal onverwachte oplossingen uit het niets te voorschijn getoverd worden, moeten elke ondernemer wel doen watertanden. Flexibiliteit is immers het nieuwe toverwoord en flexibilisering de huidige trend en het antwoord op afstompende, routinematige arbeid. In onze samenleving klinkt de roep om bevrijding van starheid en bureaucratie. Aan de heroïsche jongen Harry Potter kunnen wij een voorbeeld nemen; hij laat zich niet door regeltjes begrenzen, hij begeeft zich moedig in het onbekende en ontwikkelt zijn karakter hierdoor. Iedere voortvarende ondernemer kan zich hieraan optrekken. Ook z/hij moet immers ten volle bereid zijn tot het moedig nemen van risico's. Toch is er ook een verschil. Waar onze held en zijn vrienden risico's nemen, terwijl de rest van de leerlingen op hun afdelingen wachten tot het gevaar geweken is, is in de moderne samenleving het risico niet langer voorbehouden aan enkele heldhaftige avonturiers, maar is het nemen van risico voor eenieder noodzakelijk. Richard Sennett hierover: 'Das Risiko wird zu einer täglichen Notwendigkeit, welche die Masse des Menschen auf sich nehmen musz' (Sennett, 1998, 105). Dit riskante leven ontstaat door de afwijzing van iedere routine, door de nadruk op kortstondige activiteiten, door de schepping van vormloze, hooggecompliceerde netwerken. In dergelijke omstandigheden is het aangaan van risico's niet langer een uitdaging, maar een noodzaak. Wie geen risico's neemt, ligt eruit. Dit gegeven, in combinatie met een denivellerende tendens in de lonen, leidt tot een hoge vorm van risicobereidheid. Er wordt keihard gestreden en het gaat om alles of niets. Het gevolg is een versterking van de ongelijkheid. De succesvol concurrerende mensen vullen hun zakken, terwijl de massa verliezers het nakijken heeft.

Ook in het Zwerkbal, de sport die op school beoefend wordt, overheerst de competitie en gaat het meer om het winnen dan om de sportieve prestatie. Alleen al de manier waarop de wedstrijd gespeeld wordt laat dat zien: het gaat er duidelijk niet om hóe men wint, áls men maar wint. Het

Zwerkbal is daarom absoluut niet iets wat de leerlingen dichter bij elkaar brengt of wat de sfeer op school ten goede komt. Integendeel! In *Harry Potter en de Gevangene van Azkaban* (227-236) bijvoorbeeld lezen wij over de grimmige sfeer die er heerst op school in de aanloop naar een wedstrijd. Tegen de tijd dat de vakantie erop zit, bereikt de spanning tussen de twee teams en hun afdelingen bijna het kookpunt. Er vinden diverse schermutselingen plaats. Vooral Harry wordt flink op de huid gezeten. Hij mag nooit meer alleen zijn, uit angst dat het andere team hem zal uitschakelen. Ook de docenten staan niet boven de partijen, maar kiezen duidelijk partij. De aanvoerders die elkaar de hand moeten schudden voor aanvang van de wedstrijd doen hun best elkaar de vingers te breken. Tijdens de wedstrijd wordt er vals gespeeld, tegen elkaar opgeknald, met opgeheven knuppels op elkaar afgestormd en worden er flinke dreunen uitgedeeld. Ook de commentator is partijdig en roept dingen als 'Steek dat in je zak, stelletje vuile, achterbakse –' en als hij gecorrigeerd wordt, reageert hij met: 'Ik zeg het zoals het is, professor!' (*Harry Potter en de Gevangene van Azkaban*, 232). Dezelfde professor staat overigens even later ook met haar vuist te schudden en woedende verwensingen te roepen. Het wordt de smerigste wedstrijd die Harry ooit gespeeld heeft. Als ze winnen staat de professor met vele anderen te snikken van vreugde. Woorden schieten tekort. Harry wordt triomfantelijk naar de tribune gedragen. Hij houdt de beker hoog boven zijn hoofd en heeft zich nog nooit zo gelukkig gevoeld. Heel duidelijk staat bij het beoefenen van deze sport één ding voorop: het hebben van succes. De overwinning op de tegenstander staat centraal, niet het sportieve spel op zich. De hele wedstrijd is één sensationeel gebeuren, één grote show, waarbij de verslaggeving verre van objectief is. Het publiek lijkt meer gericht op het beleven van sensatie en de kick van erbij zijn, dan op het bewonderen van de sportieve prestaties. De regels mogen overtreden worden als men maar wint. Hier is sprake van een narcistische afbouw van sportieve prestatie en competentie-eisen met daaraan gepaard een toename van geweld.

Ondanks alle magie en bizarre toverwezens lijkt Harry's concurrentiewereld kortom sterk op de onze. En deze herkenning – met name als de verhalen zijn ontdaan van de, alleen in een toverwereld mogelijke, onverwachte oplossingen voor problemen – stemt niet bepaald vrolijk.

## 4. HET ONTBREKEN VAN LIEFDEVOLLE RELATIES

In de wereld van Harry Potter wordt veel tegen elkaar geschreeuwd en weinig met elkaar gesproken. De haat en nijd is alomtegenwoordig, er zijn nederlagen en schaamte om eigen falen en er is verbeten strijd om roem en geld. Van empathie is nauwelijks sprake, ieder gaat op in haar of zijn eigen wereldje. Liefdevolle aandacht ontbreekt zeker niet volledig, maar wel meestentijds. De kinderen worden mishandeld en mishandelen elkaar, zonder dat dit als zodanig wordt benoemd. De schrijfster Joanne Rowling houdt ons, wellicht onbewust en ongewild, ook in deze een spiegel voor. Het is in mijn ogen wel de meest troosteloze karakteristiek van Harry's wereld. Het valt echter op dat deze karakteristiek aan de onschuldige lezer/es voorbij gaat, gezien het protest dat uitbreekt bij bovenstaande constatering. Pas na enige uitleg moet men toegeven dat hier inderdaad een niet bepaald rooskleurig beeld naar voren komt. Laten wij daarom nog eens wat nauwkeuriger naar de verhalen te kijken. Het begint met Harry's pleeggezin. Harry Potter is wees en groeit op in het gezin van de zus van zijn moeder. Daar ontvangt hij van zijn oom, tante en neef Duffeling niets dan minachting en haat. Ter illustratie: als Harry uitgenodigd wordt te komen logeren bij zijn vriend Ron speelt er een

> (…) heftig conflict tussen twee van oom Hermans meest fundamentele gevoelens. Als hij toestemming gaf, zou hij Harry blij maken, iets wat oom Herman al dertien jaar lang uit alle macht had proberen te voorkomen. Daar stond tegenover dat, als Harry voor de rest van de vakantie opkraste naar de Wemels, hij twee weken eerder van hem af zou zijn dan hij had durven hopen en als er iets was wat oom Herman vreselijk vond, was het om Harry in huis te hebben. (*Harry Potter en de Vuurbeker*, 29)

De Duffelings zijn er voortdurend op uit Harry het leven zuur te maken. Zij treiteren en pesten hem, doen hatelijk en chagrijnig, negeren hem, kijken hem nijdig, woedend, vernietigend of vol afkeer aan, beledigen zijn overleden ouders, tuiten afkeurend de lippen, snuiven diep van afkeuring, blaffen, schreeuwen en grommen tegen hem, sluiten hem op in een kast en ga zo maar door. Zijn neefje Dirk wordt daarentegen schromelijk verwend. De tegenstelling tussen de twee jongens kan bijna niet groter zijn. Gelukkig is er een ontlading van de ellende in zoete wraak. Als de vraatzuchtige neef Dirk een betoverd snoepje eet, dat expres voor hem op de grond gelegd is, zwelt zijn tong enorm op van 'een minstens dertig centimeter lang, slijmerig paars geval' tot 'bijna anderhalve meter' (*Harry Potter en de Vuurbeker*, 41 en 44).

In het boek wordt de wijze waarop de jongens behandeld worden door het echtpaar Duffeling niet benoemd als 'mishandeling', zoals ook in onze wereld kindermishandeling voorkomt zonder dat het ooit als zodanig benoemd wordt. In veel gevallen gaat het daarbij, net zoals bij Harry, om psychisch geweld en verwaarlozing in de vorm van gebrek aan aandacht. Voor een klein percentage van de kinderen wordt hulp gevraagd. Maar ook in het geval van Dirk, het neefje van Harry, kan over mishandeling gesproken worden. Hier groeit een jongen op bij ouders die geen grenzen stellen, maar hem buitensporig bewonderen en in de waan brengen dat hij geweldig en superieur is, het recht heeft om arrogant te zijn en hem geen respect of empathie voor de ander bijbrengen. Verwaarlozen en verwennen zijn beide vormen van misbruik en geweld.

De grappenmaker die Dirk het snoepje bezorgt, heeft overigens wél een vader die hem terechtwijst. Maar ook deze kan niet op een normale manier zijn zoon toespreken en ter verantwoording roepen. Er wordt woedend geschreeuwd, getierd en gefoeterd. De kinderen in het verhaal zijn hier echter niet van onder de indruk. De vader heeft blijkbaar geen enkel gezag. Zij schateren van het lachen en reageren verontwaardigd op de terechtwijzing van de vader. Tenslotte is Dirk een 'Dreuzel' (kind van gewone ouders) en 'een dikke, etterige bullebak', zo luidt hun rechtvaardiging (*Harry Potter en de Vuurbeker*, 44). Alles lijkt één grote grap.

Als Harry het niet meer uithoudt bij zijn pleeggezin en wegloopt, wordt hij 'opgevangen' door Droebel, de minister van Toverkunst. Harry roept uit dat hij nooit meer een vakantie bij zijn oom en tante wil doorbrengen. Daarop zegt Droebel bezorgd:

> 'Kom kom, Harry, ik weet zeker dat je daar anders over zult denken als je weer een beetje gekalmeerd bent (…)' 'Tenslotte blijft het je familie en ik weet zeker dat jullie in wezen best op elkaar gesteld zijn, ergens – eh – héél diep van binnen.' (*Harry Potter en de Gevangene van Azkaban*, 36)

Droebel bezorgt de weggelopen Harry vervolgens een hotelkamer en vraagt de waard een oogje in het zeil te houden. De rest van de vakantie loopt Harry in zijn eentje wat rond te dolen. Tot zover de 'bezorgdheid' van Droebel en zijn reactie op de hartenkreet van Harry. Er vindt geen gesprek plaats, er wordt gesust in plaats van geluisterd, Harry's verhaal wordt niet gehoord, de mishandeling wordt geen halt toegeroepen. Opnieuw krijgen wij hier het beeld van een kind dat – op enkele maatregelen na – aan zijn lot wordt overgelaten.

Ofschoon Harry gelukkig is in de tovenaarswereld, wordt ook hier volop geschreeuwd en getierd. De haat en minachting spatten van de pagina's. Ook hier ontbreken intieme, vertrouwensvolle relaties met volwassenen vrijwel geheel. De kinderen in het boek staan er alleen voor en worden vaak volledig op zichzelf terug geworpen. Op de toverschool Zweinstein bijvoorbeeld is er weinig betrokkenheid en intimiteit en vooral veel afstand tussen de professoren en de kinderen. Soms worden de kinderen regelrecht geminacht en gekleineerd. Zo is er professor Sneep die een enorme hekel aan Harry heeft:

> Harry had niet gedacht dat Sneep een nóg grotere hekel aan hem kon krijgen, maar toch was dat het geval. Elke keer als hij naar Harry keek, speelde er een onaangename zenuwtrek om zijn smalle mondhoeken en hij strekte steeds zijn vingers, alsof hij ze dolgraag om Harry's keel wilde sluiten. (*Harry Potter en de Gevangene van Azkaban*, 323)

Dezelfde Sneep glimlacht verwrongen, maant kil tot stilte, kijkt dreigender dan ooit, snauwt, en negeert Hermelien die het goede antwoord op een door hem gestelde vraag weet. Als zij het voor een tweede keer probeert reageert hij met:

> 'Dat is de tweede keer dat u ongevraagd uw mening spuit, juffrouw Griffel,' zei Sneep koeltjes. 'Nog eens vijf punten aftrek voor Griffoendor omdat u zo'n onuitstaanbare betweter bent.' Hermelien werd vuurrood, liet haar hand zakken en staarde naar de grond, met tranen in haar ogen. (*Harry Potter en de Gevangene van Azkaban*, 130)

Een ander voorbeeld is de straf die een zekere Marcel ten deel valt. Hij wordt genadeloos aangepakt voor iets wat je hem niet echt kwalijk kunt nemen. Marcel kan namelijk de steeds wisselende wachtwoorden om door het portretgat te komen dat naar de kamers van Griffoendor leidt, niet onthouden en zet ze daarom op een briefje. Dit briefje komt in de verkeerde handen terecht, waardoor een indringer kans ziet binnen te komen. Marcel heeft het bij professor Anderling daardoor volledig verbruid. Zij is woedend op hem. Hij mag, naast andere straffen, van niemand meer het wachtwoord krijgen.

De arme Marcel was gedwongen om elke avond buiten te wachten tot iemand hem de leerlingenkamer binnenliet, terwijl de veiligheidstrollen hem vuil aankeken. (*Harry Potter en de Gevangene van Azkaban*, 204)

Al die straffen vallen overigens in het niet bij wat zijn grootmoeder voor hem in petto heeft. Zij stuurt hem het ergste wat een leerling van Zweinstein tijdens het ontbijt kan ontvangen – een Brulbrief. Dit is een brief waaruit de woedende stem van zijn grootmoeder schalt. Een brief die hem nógmaals publiekelijk te schande zet. Marcel rent ermee naar buiten, onder bulderend gelach afkomstig van de tafel van Zwadderich. En zo zijn er vele voorbeelden te geven. Schaamte en vernedering lijken een normaal onderdeel van het leven op school. Dat medeleerlingen andere kinderen hard uitlachen, wordt door de volwassenen niet gecorrigeerd, vaak zelfs aangemoedigd. Soms is er op school zelfs sprake van lichamelijke mishandeling. Zoals in het geval van professor Dolleman, die een leerling op achterbaks gedrag betrapt en deze vervolgens straft door hem in een witte fret te veranderen. Als de betoverde leerling wegloopt brult Dolleman:

> 'Vergeet het maar!' (…) Hij wees opnieuw met zijn toverstok op de fret en die vloog drie meter de lucht in, smakte op de grond en stuitte weer omhoog. 'Ik hou niet van gluiperds die toeslaan als hun tegenstander zich heeft omgedraaid,' gromde Dolleman terwijl de fret hoger en hoger stuitte, piepend van de pijn. 'Smerige, laffe, achterbakse trucjes…' De fret vloog door de lucht en zijn poten en staart maaiden wild in het rond. 'Doe – dat – nooit – meer –,' zei Dolleman, die elk woord benadrukte door de fret op de stenen vloer te laten stuiteren. (*Harry Potter en de Vuurbeker*, 159)

Tussen de kinderen onderling is er ook de nodige haat en nijd. Zo is er het gepest dat een zekere Perry moet ondergaan. Vanwege zijn harde werken, voorbeeldige gedrag en carrièreplannen haalt hij zich de nijd van zijn broers op de hals. Hij wordt voortdurend buitengesloten en gepest. Enkele voorbeelden: hij wordt schamper voor Hersenloze Minkukel uitgemaakt (*Harry Potter en de Vuurbeker*, 50), zijn broers stelen zijn splinternieuwe zilveren badge met daarop de naam van zijn nieuwe functie (hoofdmonitor) om de tekst te veranderen in Leeghoofdmonitor, er wordt drakenstront in zijn postvakje gestopt (53) en men feliciteert degene die er weer eens in slaagt Perry woedend te maken (55). Hier klinkt ook goed het spanningsveld door waarin de kinderen zich bevinden. Van de ene kant worden zij tot enorme competitie aangezet, van de andere kant mogen zij zich niet profileren als studiehoofden of harde werkers. Hermelien, het beste vriendinnetje van Harry, heeft hier ook mee te kampen. Zij is slim en leergierig en doet meer vakken dan Ron en Harry. Daar snappen haar beide vrienden niks van en ze doen ook geen moeite het te snappen. Er wordt met de ogen gerold, gegniffeld en eindeloos geplaagd. Er is geen respect voor Hermeliens keuze hard te werken. Zij wordt als betweter betiteld en moet behoorlijk van zich afbijten. Men heeft openlijk plezier om diegenen die falen. Zelfs de ridder uit een van de levende schilderijen is bang uitgelachen te worden als hij struikelt.

'Aha!' riep hij toen hij Harry, Ron en Hermelien in de gaten kreeg. 'Wat ziet mijn oog? Geboefte, waagt ge het om mijn grondgebied binnen te dringen? Komt ge u wellicht verkneukelen om mijn val? Verdedig u, schoelje en schorriemorrie!' (*Harry Potter en de Gevangene van Azkaban*, 77)

De ridder helpt de kinderen om de weg naar het klaslokaal te vinden en biedt hun ook in de toekomst zijn hulp aan. Dit wordt beloond met een sneer.

'Vaarwel, mijn wapenbroeders! Als ge ooit behoefte hebt aan een nobel hart en gestaalde spieren, schroom dan niet om heer Palagon om hulp te vragen!' 'Zullen we zeker doen,' mompelde Ron toen de ridder verdween. 'Als we ooit behoefte hebben aan een volslagen idioot!' (*Harry Potter en de Gevangene van Azkaban*, 78)

Alleen met Hagrid – een echte *loser* die buiten de wereld valt van de elkaar beconcurrerende en naar succes strevende figuren die de Harry Potter-boeken bevolken – krijgen de drie hoofdpersonen Harry, Ron en Hermelien wel een relatie van wederkerige betrokkenheid, maar deze relatie vormt een uitzondering. Bovendien is het vaak de omgekeerde wereld: de kinderen moeten voor Hagrid zorgen, in plaats van dat deze volwassen man voor hen zorgt.

Het is gezien deze hele context van pesterij en nijd niet verwonderlijk dat Harry bezorgdheid en betrokkenheid van anderen slechts kan interpreteren als tegenstand, bedoeld om hem te kleineren. Zo wil men niet dat Harry het schoolterrein afgaat omdat iemand hem wil vermoorden. Harry reageert kwaad (*Harry Potter en de Gevangene van Azkaban*, 54). Ook de bezorgdheid van Hermelien wordt haar kwalijk genomen. Als zij, met het oog op Harry's welzijn, professor Anderling inlicht over Harry's nieuwe bezemsteel, de Vuurflits, wordt deze tijdelijk in beslag genomen om te onderzoeken of hij vloekvrij is. Harry en Ron zijn woedend op haar:

> Harry wist dat Hermelien het goed bedoeld had, maar desondanks was hij kwaad op haar. Een paar uur lang was hij de trotse bezitter geweest van de beste bezemsteel ter wereld, maar door haar bemoeizucht was het maar de vraag of hij hem ooit terug zou zien. (*Harry Potter en de Gevangene van Azkaban*, 176)

Hermelien wordt genegeerd en heeft daardoor een eenzame kerst, terwijl zij, net als Ron, speciaal om Harry gezelschap te houden, met kerstmis op school is gebleven (*Harry Potter en de Gevangene van Azkaban*, 176). Als het tot een conversatie komt dan wordt er geërgerd gereageerd, gesnauwd, wrokkig en laatdunkend gedaan en superieur gekeken (178). Uiteindelijk, na weken, roept Hagrid hen ter verantwoording: '…ik mot zeggen dat ik gedacht had dat jullie meer waarde zouwen hechten aan jullie vriendin als aan bezems of ratten' (206). Harry is boos op Hermelien, die uit bezorgdheid handelt, maar ergert zich niet aan de aanvoerder van zijn zwerkbalteam die het niks kan schelen of Harry van die bezem dondert, als hij eerst de Snaai maar te pakken heeft (184). Mét hem deelt Harry de fanatieke gerichtheid op het winnen. Dit is belangrijker dan zijn eigen veiligheid of zijn vriendschap met Hermelien. Alleen door steeds te winnen kan Harry zijn hervonden zelfwaarde behouden. Het winnen van een wedstrijd en de bewonderende blikken van de supporters behoren tot de mooiste momenten uit Harry's leven (236). Een vriendschappelijke relatie weegt daar blijkbaar niet tegen op.

### 5. HET ONTBREKEN VAN RICHTINGGEVENDE VERHALEN

Professor Perkamentus, het schoolhoofd van Zweinstein, blijft in de verhalen van Harry Potter meestal op de achtergrond. Hij representeert een wijze, goede vader, die enerzijds bescherming biedt, terwijl hij tegelijkertijd ook tekortschiet, niet almachtig blijkt en zich op (te) grote afstand van de kinderen bevindt. Deze staan er uiteindelijk toch vaak alleen voor – ook een moederfiguur ontbreekt op school – en moeten het zelf maar uitzoeken.

Deze Perkamentus staat voor rechtvaardigheid. Hij representeert 'het goede'. Hij heeft het uiterlijk van de God uit een vooroorlogs catechese-boekje: een beschaafde vriendelijke oude, blanke man, lang en slank, met lange witte haren en een lange witte baard. Hij wil vriendschap bewerk-stelligen, over nationale grenzen heen. Hij beoordeelt niet op afkomst of uiterlijk. Hij is vol toorn tegenover het kwade, maar vergevingsgezind tegenover al wie zich wil beteren. Hij geeft mensen een tweede kans en is uit op herstel van relatie.

De waarden en normen van Perkamentus worden echter niet actief onderwezen. De leerlingen op Zweinstein leren zich wel verweren tegen de Zwarte Kunsten, 'het kwaad', maar verhalen over waarop 'het goede' berust, zijn niet in het curriculum opgenomen. Opnieuw is hier een over-eenkomst aan te wijzen met onze eigen westerse maatschappij, waarin het waarden-en-normenbesef nauwelijks meer wordt gevoed door richting-gevende verhalen uit onze (christelijke) traditie. Deze traditie lijkt haar richtinggevende rol verloren te hebben; een fundament om onze waarden en normen op te gronden ontbreekt. Perkamentus neemt in de verhalen van Harry Potter een plaats op de achtergrond in, zoals ook in onze wes-terse samenleving God en de vaders dat doen, zoals ook dat wat zij repre-senteerden – orde, gezag, veiligheid, (heils)toekomst – naar de achter-grond is verdwenen. De vaders lijken hun controlerende en triomfantelij-ke greep op de chaos verloren te hebben. De herscheppers van het paradijs laten hun erfgenamen in de kou staan; zij verschijnen steeds vaker juist als de veroorzakers van onherstelbare wanorde. Denk bijvoorbeeld aan de milieuproblematiek, waar komende generaties de prijs voor betalen.

De waarden en normen uit de christelijke traditie worden via de figuur van Perkamentus wel ingebracht en ook expliciet verwoord, maar een omvattend gemeenschappelijk kader, bestaande uit richtinggevende ver-halen uit de traditie, ontbreekt. Perkamentus' inbreng behoudt daardoor zijn particuliere karakter; er is geen gemeenschappelijke bedding. Het mag dan ook niet verbazen dat de figuur Harry Potter weinig houvast heeft in de keuzes waar hij voor staat. Hij kan niet leunen op richtingge-vende verhalen uit de traditie, maar moet, vanwege het ontbreken van deze verhalen, net als wij (!), noodgedwongen een eigen individueel fun-dament creëren voor de beslissingen in zijn leven. Velen van ons zijn daar-toe niet in staat, hetgeen leidt tot persoonlijke onzekerheid, machteloos-heid, willekeur, groepsdwang. Neem bijvoorbeeld de volgende scène uit *Harry Potter en de Gevangene van Azkaban* waaruit duidelijk wordt dat het kader van Perkamentus geen enkele rol speelt. Het betreft hier de ontmaskering van een zekere Pippeling. Hij blijkt een boef te zijn en de twee aanwezige volwassenen, Harry's voogd Sirius Zwarts en professor Lupos, willen hem ter plekke vermoorden. Harry's vriendjes stemmen daar blijkbaar mee in, want grijpen niet in. Blijkbaar mag een boef zonder rechtspraak ter plekke omgelegd worden. Hier zien wij duidelijk geïllustreerd dat de waarden en normen van Perkamentus geen invloed hebben. Op het laatste moment verhindert Harry echter de executie.

'NEE!' schreeuwde Harry. Hij rende naar voren en ging voor Pippeling staan, met zijn gezicht naar de toverstokken. 'Jullie mogen hem niet vermoorden,' zei hij ademloos. 'Dat mag niet.'

De twee volwassenen zijn verbijsterd.

'Harry, dit stuk ongedierte is de reden dat je geen ouders meer hebt!' snauwde Zwarts. 'Dit laffe stuk uitschot zou jou ook rustig hebben laten sterven zonder een vinger uit te steken. Je hebt hem zelf gehoord. Zijn eigen miserabele leventje woog zwaarder voor hem dan jullie hele gezin.'

Maar Harry blijft bij zijn besluit, zijn walging voor Pippeling heeft niet het laatste woord. Hij zoekt naar een rechtvaardiging voor zijn keuze, en motiveert deze ten slotte bij gebrek aan beter met een verwijzing naar zijn vader, die '(…) *zou niet gewild hebben dat zijn beste vrienden moordenaars werden –*' (*Harry Potter en de Gevangene van Azkaban*, 283), alleen om Pippeling uit de weg te ruimen.

Het is opvallend dat Rowling Potters keuze noch baseert op een christelijk gefundeerde waarde als vergeving van zonde, een 'heb uw vijanden lief', noch op de humane waarde van het recht op een correcte rechtspraak. Ook het overheersende *win or lose*-kader wordt niet benut. Rowling laat Potter een eigen individuele verhaallijn scheppen, die teruggaat in de geschiedenis. Het besluit dat hij neemt, baseert Harry op zijn vader, die hij nooit gekend heeft, maar aan wie hij toedicht dat deze niet zou willen dat zijn vrienden moordenaars zouden worden. Dit *snauwt* hij het slachtoffer toe, als deze hem wil bedanken, hem daarbij met *walging* van zich afschuddend. Het fundament van het 'NEE!' van Potter berust dus niet op de waarde die Pippeling als mens heeft. Integendeel. Potter verwijst naar zijn vader, die hij nooit bewust gekend heeft. Het tijdloze vacuüm dat ontstaat door het gebrek aan vaders (en moeders) en verhalende traditie, wordt hier doorbroken. Potter, de wees, schept zo zijn eigen verhaallijn – hoe fragiel ook – en gaat daarmee in tegen de tijdloze existentie die velen van ons in haar greep houdt. Want in een verweesde samenleving zonder verhalende traditie is slechts plaats voor een eindeloze herhaling zonder hoop op een beter leven. Potter breekt hiermee. Hij creëert zijn eigen geschiedenis, die hem richting verschaft. En hoewel dit een geweldige prestatie is, blijft een zekere troosteloosheid overheersen. Potter kan niet aansluiten bij een verhaal uit de traditie, hij moet ter plekke iets nieuws verzinnen, en lang niet ieder van ons is hiertoe in staat. Ook biedt de vondst van Potter ons geen houvast. Zíjn vader is niet de onze. Het is een te particulier verhaal en kan daarom niet door derden overgenomen worden om keuzes op te baseren. Behalve te particulier is het ook voor Harry te fragmentarisch en daardoor vrij willekeurig. Want hoewel Harry in het geval van Pippeling barmhartig is en niet meegaat in de vergeldingsdrang van de volwassenen, verkeert deze houding elders weer in haar tegendeel. Als Harry en zijn vrienden in een trein getergd worden door Malfidus en zijn vrienden, takelen zij hen bijvoorbeeld flink toe. Zij vuren een storm van spreuken op hen af, waardoor zij even later bewusteloos en behoorlijk gehavend op de grond liggen. Vervolgens schoppen Harry en kornuiten hen het gangpad op, om daarna vrolijk en zonder scrupules door te gaan met een potje Knalpoker. Zij bekommeren zich verder niet meer om de bewusteloze jongens en laten hen rustig liggen als zij, op het eindstation aangekomen, de trein verlaten.

## 6. NARCISME

In het voorgaande is meermalen het woord 'narcisme' gevallen. Een narcist verkeert in een voortdurende staat van onzekerheid over de eigen waarde. De onzekerheid over deze eigen waarde – mag men er zijn, is men geliefd? – kan zich tegen de persoon zelf keren, in de vorm van zelfhaat en depressie. De knagende twijfel over de zelfwaarde kan een heel scala van houdingen of gedrag oproepen. Om het gebrek aan zelfvertrouwen te compenseren kan men fantasieën koesteren over onbeperkte successen, macht, genialiteit, schoonheid, ideale liefde en uniciteit. Men verlangt buitensporige bewondering om het gat van de twijfel te vullen. Door de voortdurende gerichtheid op het in stand houden van het eigen zelf, is empathie afwezig en maakt men misbruik van anderen om eigen doeleinden te bereiken. Men is afgunstig, maar wenst zelf benijd te worden. Een narcist is arrogant en hooghartig en is vanwege de fundamentele twijfel aan zijn/haar waarde, vaak ook niet goed in staat om te gaan met een afwijzing of met kritiek. Z/hij is voortdurend op zoek naar wegen om bemind te worden, wat vaak op één lijn gezet wordt met bewonderd worden. Narcisme kan zich uiten in een opgeblazen gevoel van importantie en in het overdrijven van de eigen prestaties en talenten. Men verwacht als superieur erkend te worden, zonder de erbij horende prestaties. Narcisme is een kenmerk van onze huidige cultuur en maatschappij, waarin mensen slechts als winnaar gewaardeerd worden en de verliezers zich schamen om het niet benutten van hun vrijheid en mogelijkheden. Het is een cultuur waarin de vaders hun gezag en aura van beschermers verloren hebben en de moeders steeds meer emotioneel onbereikbaar zijn als het kind hen nodig heeft. Narcisme kan gezien worden als een camouflage van de eigen onzekerheid en kwetsbaarheid. Het is een manier om zich staande te houden in een dreigende en overmachtige werkelijkheid.

De Harry Potter-verhalen die Joanne Rowling vertelt, worden bevolkt door een groot aantal narcistische figuren. Het zijn daarnaast ook verhalen die bijzonder goed gedijen in een narcistische cultuur. Harry Potter, als de onbeminde wees, is voor hen die twijfelen aan hun eigen waarde en wier zelfliefde gebrekkig is, een gemakkelijk identificatiefiguur. Harry vervult de dromen van de ongeliefde om geliefd te zijn. Hij, een jongetje dat lucht is voor zijn omgeving, blijkt een winnaar te zijn. Zijn ouders blijken grote en heldhaftige tovenaars te zijn geweest. Zij zijn, net als Harry, beroemd. Harry is zelfs al beroemd en wordt bewonderd, nog vóórdat hij daar zelf ook maar iets voor heeft hoeven doen! Harry hoeft niet te twijfelen over zijn bestaanswaarde. Harry is een ideaal, wordt bewonderd en is geliefd. En hoewel Harry zijn ouders niet gekend heeft en hun liefde nooit concreet ervaren heeft, hoeft hij niet te twijfelen dat zij van hem hebben gehouden. De liefde van zijn moeder maakte immers dat Voldemort, toen hij Harry wilde doden, daar niet in slaagde. De zelfopofferende liefde van zijn moeder had hem een soort bescherming gegeven. Haar offer liet sporen op hem achter, waardoor Voldemort hem niet kon raken. Deze opofferende liefde is, zo vertelt het verhaal, 'oeroude magie' (*Harry Potter en de Vuurbeker*, 487), die in de vergetelheid is geraakt en daarom door Voldemort over het hoofd is gezien. Harry's moeder is dus wel een afwezige moeder, maar zíj heeft daarvoor een goede reden (zij is vermoord) en zíj heeft de baby Harry niet in de kou laten staan. Ook over de liefde van zijn vader hoeft Harry niet onzeker te zijn. Harry's vader verschijnt als zijn Patronus, in de vorm van een hert. Een Patronus is een positieve kracht, die beschermt tegen het kwaad. Voor een gelukkige herinnering moet Harry weliswaar zijn hersenen pijnigen, maar zíjn vader beschermt hem, want is op te roepen als Patronus.

Harry hoeft zichzelf dus niet te kwellen met de vraag of hij al dan niet geliefd is, of hij al dan niet waarde heeft. Elke onzekerheid is uitgesloten. Harry's bliksemvormig litteken op zijn voorhoofd is het bewijs van zijn heldenstatus. Het is voor iedereen zichtbaar. Harry beschikt dus over iets waaraan velen onder ons twijfelen: hij mag zich geliefd weten. Een ideaal figuur om je als narcistisch lezer/es mee te identificeren. De boeken bieden verder een goede uitlaatklep voor de woede- en haatgevoelens die ontstaan uit de onzekerheid die men heeft over de eigen bestaanswaarde, uit de minachting die ontspruit aan het gebrek aan zelfliefde. Deze woede, haat, schaamte kunnen ten volle uitgeleefd worden in de verhalen over Harry Potter. De liefde die men ontbeert, de miskenning, de schaamte over het niet geliefd zijn, de haat en minachting die men voelt voor zichzelf en de ander, evenals de voldoening die men voelt als de ander eindelijk ook eens getroffen wordt, zijn volop aanwezig. Deze emoties worden zelfs tot absurde proporties uitvergroot. De schrijfster Joanne Rowling weet wat een narcistische ziel bevredigt. Professor Sneep wordt bijvoorbeeld niet slechts één keer voor een baan gepasseerd, maar wel vier keer. Elk jaar weer opnieuw. Om het nog erger te maken: het is publiekelijk bekend. De kinderen weten dit. En er gaat nóg een schepje bovenop: ze hebben er lol om. Zo gaat alles in het boek een paar keer in het kwadraat. Neem bijvoorbeeld Harry's pleeggezin. De tegenstellingen kunnen niet groter. De zoon wordt op handen gedragen en krijgt alles wat zijn hartje begeerd, Harry wordt genegeerd en verguisd. De een is een egoïstisch vet varken, de ander een slanke, aardige jongen.

Nou worden in sprookjes e.d. wel vaker tegenstellingen scherp aangezet, maar in de verhalen van Potter neemt dit werkelijk absurde dimensies aan. Een en ander wordt daardoor lachwekkend, het is humoristisch, maar tegelijkertijd worden hier ook narcistische behoeften bevredigd. Onzeker als men is over de waarde van het eigen 'ik', voelt men zich in een onophoudelijke zoektocht naar erkenning al snel tekort gedaan. Waarom krijgt de ander, het vieze vette varken, dat erom vráágt genegeerd te worden, wél waardering en erkenning en ik, die zo geweldig ben, niet? De opgebouwde frustratie van de lezer/es vindt haar ontlading in een revanche en wraak die zoeter is dan de zoetste honing: Harry is en blijft een held en de onbetwistbare geliefde zoon van heldhaftige ouders.

Het Vaticaan geeft zijn zegen aan de held Harry Potter op basis van het feit dat het hier om een verhaal gaat waarin het goede (Harry) het kwade (Voldemort) overwint. En inderdaad, in de verhalen neemt Harry Potter het op tegen Voldemort, die het ultieme kwaad symboliseert. Voldemort koestert de almachtsfantasie dat hij onsterfelijkheid zal verkrijgen en over alles en iedereen zal regeren. Hij is superieur en arrogant en eist absolute bewondering en gehoorzaamheid. Als Voldemort aan de macht komt zal de ellende niet te overzien zijn. Dan zal slechts de willekeur heersen en zal ieder in het stof moeten kruipen voor deze machtige heerser. Het is deze Voldemort, de verpersoonlijking van het kwaad, waartegen Harry het moet opnemen. Hij is de uitverkoren jongen die de eenzame rol van verlosser op zich moet nemen. Een kind dat het leven behoudt door de liefde van zijn moeder en dat uitgroeit tot eenzame verlosser van 'het' kwaad. Waar hebben wij dit meer gehoord? Voor Harry is Voldemort hét kwaad. Hij komt tot deze conclusie als hij zich – een zeer zeldzaam moment – inleeft in zijn kamergenoot Marcel Lubbermans en in de positie van de veroordeelde handlangers van Voldemort.

> Harry deed zijn bril af, stapte in zijn hemelbed en probeerde zich voor te stellen hoe het zou zijn als je je ouders nog had, en als die je niet meer herkenden. Hij kreeg vaak een hoop medeleven van vreemden omdat hij wees was, maar terwijl hij naar het gesnurk van Marcel luisterde, dacht hij dat die er eigenlijk meer recht op had. Toen Harry in het donker lag, voelde hij een golf van woede en haat voor de mensen die meneer en mevrouw Lubbermans hadden gemarteld (…). Hij herinnerde zich het gejoel van de menigte toen de zoon van Krenck en zijn handlangers werden weggevoerd door de Dementors (…) hij begreep hoe ze zich gevoeld hadden (…) maar toen moest hij weer aan dat doodsbleke gezicht van de gillende jongen denken en besefte hij met een schok dat die een jaar later gestorven was…

> Het kwam door Voldemort, dacht Harry, die omhoog staarde naar de hemel van zijn bed. Het kwam allemaal door Voldemort (…) hij had al die gezinnen verscheurd, al die levens verwoest… (*Harry Potter en de Vuurbeker*, 454)

Het kwaad ontstaat in Harry's ogen dus door Voldemort. Maar wat als Harry erin slaagt Voldemort om zeep te helpen? Welk kwaad is dan verdwenen? Is het streven naar macht, de keiharde en verbeten houding van Voldemort, niet alomtegenwoordig in zowel de Dreutel- als de tovenaarswereld? Ook zonder Voldemort is er niet bepaald een veilige en vriendelijke wereld voor kinderen om in op te groeien.

De strijd tegen het kwaad wordt al eeuwen gevoerd. Ook het christendom staat voor een verlossing van het kwaad en Jezus is in de geschiedenis vaker als een eenzame redder afgebeeld, van jongs af aan uitverkoren als Potter. De weg die Jezus wijst uit het kwaad is echter een hele andere weg dan Harry Potter of Voldemort bedenken. Voor Voldemort bijvoorbeeld bestaat het kwaad uit het feit dat je gekwetst kunt worden, in de steek gelaten of geminacht. Zijn antwoord op dit kwaad is zoeken naar onsterfelijkheid, want dat maakt je onkwetsbaar en oppermachtig. Harry's redding bestaat uit het doden van het kwaad, dat geconcentreerd wordt in één persoon. Een eenmansactie, die het kwaad voor de anderen uit de weg ruimt. Jezus wijst een andere weg uit het kwaad. Deze bestaat niet uit het vernietigen van de 'boze ander'. Als wij iets leren uit de verhalen over Jezus, dan is het wel dat zonde niet iets is wat gestraft, maar wat genezen dient te worden (Brock, 1988). Wij kunnen niet iemand elimineren en dan denken dat wij van het kwaad verlost zijn. De verlossing die Jezus voorstaat vraagt ook geen eenmansactie. Jezus vraagt nadrukkelijk om navolging, om bekering. Hij vraagt mensen op te staan en hun denken en doen af te stemmen op 'dat wat leven doet'. Jezus vlucht ook niet zoals Voldemort uit de relatie weg, is niet op zoek naar eeuwig leven en onkwetsbaarheid. Hij blijft in relatie staan tot zijn medemensen en tot God. Hij getuigt in doen en laten van een levende God, die om ons bekommerd is. Deze God is het tegendeel van een onkwetsbare macht, die ons tot navolging dwingt. Het is een God die afdaalt naar de mensen en vlees wordt. Een door en door relationele God die ons uitnodigt te Leven. Een God-in-relatie zoals ook wij wezens-in-relatie zijn en voor ons welzijn afhankelijk van het leven om ons heen. Er is geen weg uit de relatie mogelijk. Wij zijn tot elkaar veroordeeld.

Jezus neemt de Wijsheid van Salomo serieus en laat ons in zijn eigen leven en optreden zien dat Gods liefde inclusief is. Zij kent geen grenzen. Zij verafschuwt niets van wat is, want als dat het geval was, dan zou het niet bestaan (Wijsheid van Salomo 11,24). En hoewel Jezus de keuzes die hij in zijn leven maakt baseert op 'zijn' Abba, is deze Vader ook de onze. Het is geen particulier maar een universeel beeld van God. Het betreft een Vader wiens liefde grenzeloos is en op elk van ons betrokken is. Leven vanuit dit geloof kan een einde maken aan de onzekerheid over onze bestaanswaarde. Wij zijn de moeite waard. Want ook als mensen ons kwetsen en ons de rug toekeren, mogen wij erop vertrouwen dat God ons liefheeft. Alleen al het feit dat wij er zijn, getuigt van deze grenzeloze liefde. Wij zijn *expressa dei*, uitdrukkingen van Gods liefde, zoals al wat om ons heen is, uitdrukking is van deze goddelijke liefde (Verstappen, 2000). God ademt door heel de schepping, en al wat leeft dankt aan God de levensadem.

Misschien dat wij hieruit de kracht kunnen vinden elkaar de hand te reiken, want het mag duidelijk zijn dat wij elkaar nodig hebben. Het troosteloze in onze wereld wordt niet opgeheven door magie. Er is geen kleine tovenaar die ons van het kwaad zal verlossen. Aangestoken door de liefde van God kunnen wij misschien een begin maken met medemenselijkheid en liefdevolle aandacht en met het inoefenen van het besef dat wij onszelf inderdaad in Godsnaam mogen liefhebben. Wij zouden een begin kunnen maken met het opzoeken van de stilte, zodat de schreeuwerige wereld van uiterlijk vertoon op de achtergrond raakt, zodat tot spreken komt wat nodig gehoord moet worden. Wij zouden onze medeschepselen barmhartiger tegemoet kunnen treden en onze intrinsieke band met hen bewust beleven. Wij zouden verhalen kunnen vertellen over wat vitaliteit uit ons wegzuigt en over wat ons bevrijdt. Er is zoveel meer dat wij zouden kunnen doen. Méér dan ik alleen kan bedenken. Alleen samen – in geloof, hoop en liefde – kunnen wij de macht van het kwaad, dat ons influistert dat wij nooit goed genoeg zullen zijn, breken. Wij zijn voor elkaar bestemd.


Literatuur

Brock, R.N. (1988), *Journeys by Heart. A Christology of Erotic Power*, New York.
Lasch, C. (1979), *The Culture of Narcissism: American life in an age of diminishing expectations*, W.W. Norton: New York.
Nauta, R. (2002), 'Echte en erge zonden: een inleiding', in: Rein Nauta e.a., *Over zonde en zonden. Opstellen over de tragiek van het bestaan*, Valkhof Pers: Nijmegen, 7-16.
Nauta, R. (2002), 'Zonde en levensloop', in: Rein Nauta e.a., *Over zonde en zonden. Opstellen over de tragiek van het bestaan*, Valkhof Pers: Nijmegen, 270-286.

Rowling, J.K. (1998), *Harry Potter en de Steen der Wijzen*, Amsterdam: De Harmonie/Antwerpen: Standaard (vert. Wiebe Buddingh').

Rowling, J.K. (1999), *Harry Potter en de Geheime Kamer*, Amsterdam: De Harmonie/Antwerpen: Standaard (vert. Wiebe Buddingh').

Rowling, J.K. (2001), *Harry Potter en de Gevangene van Azkaban*, Amsterdam: De Harmonie/Antwerpen: Standaard (vert. Wiebe Buddingh').

Rowling, J.K. (2001), *Harry Potter en de Vuurbeker*, Amsterdam. De Harmonie/Antwerpen: Standaard (vert. Wiebe Buddingh').

Sennett, R. (1998), *Der flexibele Mensch. Die Kultur des neuen Kapitalismus*, Berliner Verlag: Berlijn.

Verstappen, B. (2000), *Ekklesia van leven. Een aanzet tot een discussie tussen theologische kosmologie en bevrijdingstheologie*. Boekencentrum: Zoetermeer.

HETTY ZOCK

# Harry Potter en de transitionele ruimte

## *Verbeelding en zingeving vanuit psychologisch perspectief*

Harry Potter is een gewone jongen, die op zijn 12de jaar ontdekt dat hij, net als zijn overleden ouders, een tovenaar is. Hij volgt een opleiding aan Zweinstein, hogeschool voor tovenarij en hocus-pocus. Zweinstein bevindt zich in een bijzondere wereld: de wereld van de verbeelding. Daarom kun je er alleen op een bijzondere manier komen. De trein naar Zweinstein vertrekt van het Londense King's Cross Station, vanaf perron 9¾. Je ziet de ingang niet. Het perron is alleen te bereiken door met kordate passen dwars door het hek dat de perrons 9 en 10 scheidt heen te lopen. De wereld van de verbeelding ligt midden in de 'gewone', alledaagse wereld, maar niet iedereen is in staat die binnen te treden. Mensen zonder toverkracht, mensen die de magische wereld niet waarnemen, worden in de Harry Potter-boeken Dreuzels ('muggles') genoemd – een woord dat al zo ingeburgerd is in de Nederlandse taal dat het me niet zou verbazen als het in de volgende Van Dale wordt opgenomen. Zweinstein is gevestigd in een kasteel, een magische ruimte, beschermd door toverformules. De ruimtes in het kasteel zijn niet altijd wat ze lijken te zijn. Het plafond van de Grote Zaal verandert naar believen in de sterrenhemel, een decor met kerstversiering, of de vaandels van een van de vier afdelingen van de school. Er zijn verborgen kamers, alleen toegankelijk met behulp van magische sleutels, klaslokalen die ineens van locatie veranderd blijken te zijn en trappen die ergens anders heen lopen dan de vorige keer dat je ze nam – vooral lastig als je toch al te laat bent voor een les. Een ruimte, zeker een nieuwe ruimte, spreekt tot de verbeelding en vraagt erom ontdekt en toegeëigend te worden. Met Harry Potter worden de lezers uitgenodigd de ruimte van de verbeelding binnen te treden.

## 1. HYPE

Het staat buiten kijf dat Harry Potter een hype is. De boeken staan boven aan vele bestsellerlijsten over de hele wereld en de films slaan alle records.

Veelzeggend is dat de nieuwe James Bond-film, die gewoonlijk rond de kerstvakantie in première gaat, in 2002 moest wijken voor de tweede Harry Potter-film en het tweede deel van de verfilming van *In de ban van de ring* van Tolkien. Ter verklaring kun je, behalve op de slimme marketing, ongetwijfeld wijzen op de hoge kwaliteit van de boeken. Rowling put op creatieve en geïnformeerde wijze uit de culturele erfenis van het Westen: ze gebruikt elementen uit het christendom en de mythologie, uit sprookjes en kinderliteratuur. Zo vindt men verhaalsporen uit de bijbel, de King Arthur-verhalen, de alchemie en *Alice in Wonderland* (zie Colbert; Kronzek & Kronzek).

Volgens de Amerikaanse culturele antropoloog en godsdienstwetenschapper Wendy Doniger (2000) beheerst Rowling de magische kunst van het bricoleren op overtuigende wijze. Doniger herkent drie genres in de Potter-boeken. In de eerste plaats dat van de *family romance*. Het gaat, in de traditie van Charles Dickens, om een wees die opgroeit bij vreselijke stiefouders, die hem laten slapen in de bezemkast en hem nauwelijks te eten geven. Voor zijn verjaardag, als ze die al niet vergeten, krijgt hij een tandenstoker. Maar Harry blijkt veel meer te zijn dan alleen maar een zielige wees. Van de reus Hagrid hoort hij dat zijn ouders vermoord zijn door de boze tovenaar Voldemort, de verpersoonlijking van het kwaad aan wie Harry als baby ontsnapt is, maar die het nog steeds op hem gemunt heeft. Voor hun dood hadden zijn ouders tovergoud gespaard om zijn opleiding aan Zweinstein te bekostigen. Zo is Harry van het ene moment op het andere niet alleen vrij en rijk, maar ook beroemd en bewonderd, omdat hij ontsnapt is aan Voldemort. Rowling verwerkt in haar verhalen, zegt Doniger, niet alleen elementen uit de mythologie over de bijzondere geboorte en afkomst van helden, maar ook allerlei psychologische thema's, zoals het Oedipuscomplex: de wens om andere, leukere en aardiger ouders te hebben; de wens om bijzonder te zijn (denk aan het sprookje over het lelijke eendje), en de wens om te kunnen doen wat je wilt. Ook de verhouding met de vader komt aan de orde. In de boeken gaat Harry zich steeds meer identificeren met zijn gestorven vader, die hij op magische wijze tegenkomt: in een spiegel die je diepste verlangens weerspiegelt, en waarin Harry zich verenigd ziet met zijn gestorven ouders; als een magisch hert dat hem beschermt (de zogenaamde 'Patronus'); en als raadgever uit de andere wereld, op het moment dat Harry in een rechtstreekse confrontatie met Voldemort gewikkeld is. Vanuit psychoanalytisch perspectief is er veel te zeggen over Harry Potter.

Een tweede genre waar Rowling uit put is dat van het kostschoolboek. Het gaat om alles waar kinderen op school mee te maken krijgen: leuke en vervelende leraren, het sluiten van vriendschappen en bondgenootschappen, concurrentie en jaloezie, en vooral het samen beleven van spannende avonturen. Als derde genre noemt Doniger de magie. Als vergelijkend mytholoog probeert zij de vele mythologische elementen waar Rowling gebruik van maakt te traceren. Maar centraal staat volgens haar de alledaagse magie: magie ten dienste van het dagelijks leven, zoals je ook bij Mary Poppins aantreft. Er is op Zweinstein bijvoorbeeld een sprekende spiegel die waarschuwt als je hemd uit je broek hangt. De moeder van Harry's boezemvriend Ron Wemel, die moeite moet doen om de eindjes aan elkaar te knopen en haar grote gezin te voeden, tikt met haar toverstok op een pan, en er zit saus in; de saus blijkt overigens wel te kunnen aanbranden. Die alledaagse magie speelt zeker een grote rol in de boeken, maar men moet ook de grotere mythologische thema's niet over het hoofd zien: de strijd tussen goed en kwaad, de verhouding tussen de vrije wil en het noodlot, de held die op de proef wordt gesteld tijdens zijn zoektocht naar doel en zin van het leven, de zoektocht naar de heilige graal.

Opvallend is de grote rol die de humor in de boeken speelt, dwars door de grote en ernstige thema's heen. Is dit niet kenmerkend voor een modern omgaan met de traditie? J.K. Rowling heeft geweldige humoristische vondsten. Mijn favoriet is de reus Hagrid, die er werkelijk niet uitziet: hij heeft 'lang, verwilderd haar en een ongekamde baard waartussen je nog net twee ogen kon zien, die glommen als zwarte torren' (*Harry Potter en de Steen der Wijzen*, 37). Maar zoals zoveel reuzen heeft hij een zeer goedmoedige inborst. Hij geeft het vak 'fabeldierverzorging', en heeft een zwak voor de meest afzichtelijke en angstaanjagende dieren. Als het net uit het ei geklommen baby-draakje – een 'Noorse bultrug', u kent ze wel – met zijn lange, scherpe tanden naar de vingers van Hagrid hapt en vuur naar hem spuwt, zegt hij vertederd: 'Ach, 't schatje! Kijk, hij kent z'n baasje' (*Harry Potter en de Steen der Wijzen*, 175).

Maar dit alles verklaart nog niet de enorme populariteit van de Harry Potter-boeken bij zowel kinderen als volwassenen. De boeken staan namelijk niet op zichzelf. Ze behoren tot het genre van 'fantasy' en magie dat op dit moment floreert, in literatuur, in films en op televisie. Denk aan de boeken van Roald Dahl, aan Star Wars en Buffy the Vampire Slayer. Waar komt de aantrekkingskracht van dit genre vandaan? En wat zegt dit over de wijze waarop hedendaagse mensen omgaan met het magische en zich op het gebied van levensbeschouwing en zingeving oriënteren? Moderne mensen bewegen zich gemakkelijk in onze op efficiëntie, rationaliteit en wetenschap gebaseerde maatschappij, maar tegelijkertijd blijken ze zich zonder enig probleem te bewegen in verbeeldingswerelden waarin allerlei magische, niet-rationele en bizarre voorstellingen worden gepresenteerd. Daartegenover staat dat traditionele religies als christendom en islam door 'verlichte geesten' bekritiseerd worden als 'achterhaald' dan wel 'achterlijk', en als 'onwetenschappelijk'. Maar blijkbaar trekken de gelovigen, zowel binnen als buiten de traditionele religies, zich daar weinig van aan. Interessant in dit verband is de discussie die er in christelijke kring over de Harry Potter-boeken wordt gevoerd. Door veel conservatieve christenen worden de boeken gezien als anti-christelijk, zelfs als satanisch, omdat ze de lezers in contact zouden brengen met het occulte. Daar staat tegenover dat er Harry Potter-kerkdiensten gehouden worden en dat er ook veel christenen zijn die het christelijk en stichtend karakter van de boeken benadrukken. Recentelijk heeft zelfs de paus de uitspraak gedaan dat de Harry Potter-boeken geen gevaar voor het geloof vormen.[1] Harry Potter wordt gezien als de messias, maar ook als de antichrist. Als de brenger van goed nieuws én van slecht nieuws. Op deze discussie ga ik straks nader in.

## 2. WINNICOTT: ZELFONTWIKKELING, VERBEELDING EN ZINGEVING

Mijns inziens zijn de Harry Potter-boeken zo populair, vooral omdat ze de verbeelding op een dusdanige manier aanspreken dat moderne mensen ermee uit de voeten kunnen, en er tegelijk door gestimuleerd worden hun eigen leven vorm te geven. Ik baseer mij daarbij op de theorie van de Britse kinderarts en psychoanalyticus Donald W. Winnicott, die uitgangspunt is in mijn huidige onderzoek naar de relatie tussen verbeelding en zingeving.[2] Relevante vragen in dit verband zijn: Welke rol speelt de verbeelding in de levensbeschouwelijke ontwikkeling van mensen? En hoe dragen producten van de verbeelding – kunst, verhalen, mythen en rituelen – daaraan bij? Doel is te kijken hoe zinbeleving tot stand komt in de moderne context, waar steeds meer gezocht wordt naar zin en levensoriëntatie buiten de traditionele levensbeschouwelijke tradities om.

De verhouding tussen werkelijkheid en fantasie, objectiviteit en subjectiviteit, is voor veel moderne mensen niet eenvoudig. De vraag is hoe wij ons als subjecten zinvol tot de werkelijkheid kunnen verhouden. Dat is problematisch geworden door het postmoderne bewustzijn dat het helemaal niet meer zo duidelijk is wat 'werkelijk' en 'objectief' is. Als 'alles subjectief is', als 'we allemaal met een verschillende bril naar de werkelijkheid kijken', zoals vaak gezegd wordt, wat garandeert dan nog dat we echt contact hebben met de werkelijkheid, dat we niet allemaal opgesloten zitten in onze eigen binnenwereld? Dit besef levert de tegenwoordig vaak gehoorde klachten van zinloosheid, leegheid en doelloosheid op. Winnicott nu benadrukt het belang van de verbeeldingskracht voor de persoonlijke ontwikkeling, voor het realiseren van een eigen identiteit in de wereld – en daarmee voor de beleving van zin.

In de psychoanalyse is de interesse voor kunst, sprookjes, mythologie en religie altijd al groot geweest, omdat men er psychologische processen en mechanismen in geïllustreerd ziet. Religie en kunst worden gezien als producten van de verbeelding. De verbeeldingsfunctie wordt echter heel verschillend beoordeeld. Freud legde de nadruk op verbeelding als plaatsvervangende wensvervulling, die de mensen de (harde) realiteit doet ontvluchten. Hij verbindt verbeelding met illusie. Freud is hier wel ambivalent over. Producten van de verbeelding zijn volgens hem niet per se onrealistisch, maar ze stimuleren wel vaak een kinderlijk psychisch functioneren, waarbij het lustprincipe overheerst en het realiteitsprincipe tekort wordt gedaan. Er zijn psychoanalytici die, in de lijn van Freud, vooral wijzen op het gevaar dat de verbeelding leidt tot infantiele wensvervulling en de mensen onvolwassen houdt. Er zijn psychoanalytici – zich overigens ook baserend op Freud, maar vaker op Jung – die stellen dat kunst mensen in contact kan brengen met onbewuste wensen en fantasieën, en zo de psychische gezondheid juist kan stimuleren. En er is een derde groep psychoanalytici die in de lijn van Winnicott stelt dat de verbeelding noodzakelijk is om zich creatief te kunnen engageren in de werkelijkheid en zin te ervaren (zie bijvoorbeeld Jongsma-Tieleman, 1996). Winnicott heeft dus een andere visie op illusie en verbeelding dan Freud, en deze hangt samen met zijn visie op persoonlijkheidsontwikkeling: de ontwikkeling van het zelf. Voor de theoretisch geïnteresseerden zal ik in het vervolg van deze paragraaf Winnicotts visie uiteenzetten.

Freud ziet de mens primair als driftwezen, een vat vol verlangens dat botst met de harde realiteit. Zelfontwikkeling houdt in dat het realiteitsprincipe het langzamerhand overneemt van het lustprincipe. Winnicott daarentegen ziet de mens primair als relationeel wezen (Zock, 1998). Aan de basis van de persoonlijkheid ligt niet de behoefte aan driftmatige bevrediging maar een relationele behoefte. De ontwikkeling van het zelf is een relationeel proces, waarbij een voortdurende interactie plaatsvindt tussen subject en wereld. Vandaar dat Winnicott thuishoort in wat men de *relationele psychoanalyse* noemt. Een baby heeft spontane neigingen om naar de wereld te reiken en doet dat in ongerichte uitingen ('spontaneous gestures'): het kind slaat onbeholpen met zijn armpje om zich heen en stuit dan op iets in de werkelijkheid: een borst of arm van een ander, zijn eigen voet, een speeltje of een fles. Dit spontaan reiken naar de wereld komt voort uit wat Winnicott het 'true self' noemt: het ware zelf, de kern van de persoonlijkheid. Als de wereld adequaat inspeelt op deze spontane neigingen – dat wil zeggen, als je ouders/verzorgers je het gevoel geven dat de wereld in het verlengde ligt van jouw spontane neigingen en uitingen – dan ontstaat het vertrouwen dat de wereld de moeite waard is om je in te engageren. Er ontstaat het gevoel er *te zijn*: 'being there' – het gevoel: ik leef, ik ben er werkelijk. *Deze ervaring van er-te-zijn, in de wereld, in relatie met de wereld, is een cruciale ervaring en ligt aan de basis van alle zinbeleving.* Vanuit deze ervaring van er-zijn kan men in de wereld dingen gaan 'doen'. Maar er-zijn is primair. Er moet eerst een zelf zijn, voordat in het contact met de wereld driftmatige neigingen en verlangens gevoeld en geuit kunnen worden.

Dit spontaan reiken naar de wereld zet zich voort in alle vormen van spel en creativiteit, en later in allerlei vormen van culturele activiteit: kunst, religie en wetenschap; in feite in alle activiteiten waarbij er sprake is van een uitwisseling tussen ons als individu en de omgeving waarin we verkeren. Spel en verbeelding staan niet altijd in dienst van de driftbeheersing, zoals Freud meende, maar zijn uitingen van een spontane relationele neiging. Een aanwijzing daarvoor, zegt Winnicott, is het feit dat kinderen stoppen met spelen als hun lichamelijke behoeften te sterk worden. Om te kunnen spelen, moet je in een bepaalde mate vrij zijn van driftmatige conflicten. Spel staat dus in dienst van zelfverwerkelijking in de wereld, en is belangrijk voor de beleving van zin.

Maar wat gebeurt er als het ware zelf niet de kans krijgt om zich te uiten? Als het kind zich te vroeg of te veel moet conformeren aan de buitenwereld, wanneer bijvoorbeeld de verzorging erg grillig is en het kind er niet van op aan kan, dan wordt de verbeelding geremd en gaat het zogenaamde *false self* overheersen. Tot op zekere hoogte heeft iedereen zo'n 'onecht zelf' nodig: het is het sociale zelf, dat zorgt voor de aanpassing aan de buitenwereld en ook als bescherming dient van je ware zelf. Het is maar goed dat het niet van je gezicht af te lezen is als je tijdens een lezing of een vergadering ineens zit te snakken naar een ijsje of allerlei ongepaste gedachten krijgt over je buurman of buurvrouw. Het onechte zelf is, in tegenstelling tot wat de normatieve terminologie suggereert, noodzakelijk en nuttig. Maar als het onechte zelf overheerst en het ware zelf verstikt raakt, geen kans krijgt om zich te uiten-in-de-wereld, dan krijg je het gevoel er niet te zijn, dood te zijn terwijl je leeft. Je bent dan volledig geöriënteerd op de buitenwereld, probeert te voldoen aan de verwachtingen van anderen en reageert alleen op prikkels die van buiten komen.

Dit zie ik in de Harry Potter-boeken geïllustreerd in de scènes met de zogenaamde Dementors: dat zijn de bewakers van de tovenaarsgevangenis Azkaban, enge doodsachtige wezens, met rottend vlees op hun armen, lege oogkassen en een gapend, vormeloos gat waar bij normale mensen de mond is. In hun aanwezigheid krijg je het verschrikkelijk koud. Ze zuigen namelijk alle gelukkige gedachten uit je weg. Zo houden ze de gevangenen vast, zonder ze te hoeven ketenen. Een Dementor kan iemand doden door met zijn mond de ziel uit hem of haar te zuigen. Dat voelt als volgt: 'Je kunt voortleven zonder ziel, zolang je hart en hersens nog werken. Maar dan heb je geen greintje bewustzijn meer, geen geheugen, helemaal… niets. Er is geen enkele kans op herstel. Je – bestaat alleen nog. Als een lege huls. En je ziel is voorgoed verdwenen… verloren' (*Harry Potter en de Gevangene van Azkaban*, 186). Je bent dan een lege huls. Er ontstaat een gevoel van leegheid, doodsheid, zinloosheid: je kunt niets meer voelen en je verlangt nergens meer naar. Harry is extra gevoelig voor de invloed van de Dementors omdat hij als baby vreselijke dingen heeft meegemaakt: de moord van Voldemort op zijn ouders. Als hij een Dementor tegenkomt, dan hoort hij zijn moeder in doodsangst schreeuwen. Het enige wat helpt tegen de invloed van een Dementor is het oproepen van een Patronus, een beschermheer: dat doe je door een hele goede herinnering voor de geest te halen. Dit is relationeel-psychoanalytisch zeer aannemelijk: het zijn immers goede relationele ervaringen die je het gevoel geven dat je er echt bent, en het vertrouwen om je te durven engageren in de wereld, om te durven leven.

Hier stuiten we op een centraal punt: de verhouding tussen objectiviteit en subjectiviteit, fantasie en werkelijkheid in dit proces van zelfwording. Bij een klein kind lopen binnen- en buitenwereld nog door elkaar. Het kleine kind heeft het gevoel dat de ervaringen die hij of zij in de wereld opdoet voortkomen uit zijn eigen verlangens en neigingen. Het kind heeft, zegt Winnicott, het gevoel almachtig te zijn. Het heeft het gevoel dat het de borst of de fles, de moeder of vader die komt en een schone luier aandoet, zelf heeft gecreëerd: als het ware zelf heeft opgeroepen, gehallucineerd door zijn eigen verlangen. Het is belangrijk het kind een tijdje in die illusie te laten, want anders kan het gevoel dat de wereld te vertrouwen is en de moeite waard, niet ontstaan. Op een gegeven moment is het echter onvermijdelijk dat het kind ontdekt dat de ouders en de wereld een eigen bestaan hebben, en dat er niet vanzelf eten komt als het honger heeft. Voor Freud begint hier de tragische, maar onvermijdelijke confrontatie met de realiteit, waarnaar je je te richten hebt. Winnicott ziet dit ook, maar beoordeelt het tegelijk positiever. Het is ontzettend belangrijk, zegt hij, dat de wereld 'objectief' is, niet alleen maar het verlengstuk is van jouw verlangens. Want alleen als de buitenwereld daadwerkelijk bestaat, kun je er je ware zelf in realiseren: alleen dan is er echt contact mogelijk, waarbij je buiten jezelf reikt. Door de buitenwereld kun je worden gecorrigeerd en ingeperkt, maar ook aangevuld en verrijkt. En dat levert nieuwe ervaringen van zin op.

Volgens Freud is het een teken van volwassenheid om subject en object volledig te kunnen scheiden. Maar omdat het niet gemakkelijk is om altijd maar aan de eisen van de harde werkelijkheid te voldoen, is het volgens hem onvermijdelijk dat we soms terugvallen in kinderlijke vormen van psychisch functioneren zoals wensvervulling, via kunst en vooral via religie. Maar dit is niet zijn ideaal. Winnicott beoordeelt het door elkaar lopen van subjectiviteit en objectiviteit veel positiever. Volgens hem kunnen subject en object nooit helemaal gescheiden worden, en moet dat ook beslist niet, want alle zingevende en zelfrealiserende ervaringen spelen zich af in een tussenruimte waar subjectiviteit en objectiviteit beide een plaats hebben.

Winnicott spreekt hier van *transitionele ruimte*: een ervaringsgebied waaraan zowel de binnenwereld als de werkelijkheid daarbuiten een bijdrage leveren. Ervaringen die zich afspelen in de transitionele ruimte noemt hij transitionele ervaringen. De eerste transitionele ervaring is die van het kleine kind met een transitioneel object – wat tegenwoordig een 'knuffel' genoemd wordt: een beer, een lapje, iets waar het kind onafscheidelijk van is. Het transitionele object is een symbolische representatie van de ouders, die de uiterlijke werkelijkheid voor het kind vertegenwoordigen. Het helpt het kind om de angst te verdragen als ze afwezig zijn; bijvoorbeeld 's avonds bij het slapengaan. Maar, en dat is nog belangrijker, het transitionele object staat ook voor een bepaalde vorm van ervaring die noodzakelijk zal zijn voor alle zinbeleving in de wereld. De knuffel hoort thuis in de transitionele ruimte. Want kenmerkend voor de knuffel is dat die zowel objectieve als subjectieve kenmerken heeft. De beer is een product van de eigen fantasie van het kind; het kind fantaseert een eigen naam, karakter en leven voor de beer; maar de beer is tegelijk iets in de objectieve werkelijkheid dat weerstand biedt. De fantasie is geen hallucinatie, want de anderen kunnen de beer zien en de beer kan ook kapot gaan of kwijt raken. Harry Potters uil, Hedwig, heeft veel trekken van een transitioneel object. De uil is het eerste cadeau dat hij krijgt in zijn leven, van Hagrid. De reus is een onvoorwaardelijk steunende ouderfiguur voor Harry, die hem vertelt over zijn achtergrond en hem inwijdt in het bestaan van de toverwereld. Als Harry zich eenzaam voelt, zoekt hij vaak zijn toevlucht bij Hagrid, maar ook bij Hedwig. De uil kan niet praten, maar wel communiceren. Ze kan bijvoorbeeld beledigd doen als Harry hem niet genoeg aandacht schenkt. Ze weet Harry altijd te vinden, waar hij ook is, maar kan ook ineens dagen wegblijven. Harry kan haar niet manipuleren.

Het kenmerk bij uitstek van alle transitionele ervaringen is dus dat er sprake is zowel van subjectieve inbreng van het individu als van een werkelijkheid die weerstand biedt en anders is dan jezelf. In het geval van een culturele ervaring, in religie, wetenschap of kunst, zijn het de traditie en een gemeenschap die objectieve weerstand bieden. Het godsbeeld dat iemand heeft is altijd subjectief gekleurd, wordt ingevuld door individuele ervaringen, verlangens en aanleg. Maar de inhoud van dat godsbeeld – hoe je denkt over God en hoe je je tegenover hem opstelt – is je óók aangereikt van buiten: door een groep mensen verankerd in een traditie. Een godsbeeld functioneert in de transitionele ruimte, als er sprake is van interactie, uitwisseling met een religieuze traditie of gemeenschap, als het materiaal voor het godsbeeld ook uit de buitenwereld komt en het verder vormt. Als je godsbeeld zo particulier is dat niemand je meer begrijpt, dat er geen gesprek meer over mogelijk is, dan is de kans groot dat je opgesloten raakt in je eigen subjectieve wereld. Als je alleen letterlijk nakauwt wat de traditie zegt, dan overheerst het objectieve. In beide gevallen is er geen transitionele ervaring mogelijk.

Maar in hoeverre zijn objectiviteit en subjectiviteit nu echt te scheiden volgens Winnicott? Hij is daar in zijn werk niet duidelijk over. Ondanks zijn nadruk op het transitionele gebeuren, is hem dualisme verweten. Mijns inziens is dat onterecht. Je moet zijn spreken over objectiviteit en subjectiviteit beschouwen als een metafoor. Het transitionele object, zegt Winnicott, is tegelijk binnen én buiten, subjectief én objectief. Ook al zijn subjectiviteit en objectiviteit conceptueel te onderscheiden, in de ervaring kunnen ze niet gescheiden worden. De transitionele ruimte is dan ook geen ruimte in de letterlijke zin, en valt niet samen met het terrein van wetenschap, kunst of religie, waarop je je bij wijze van spreken even kunt terugtrekken, bij een kerkdienst, college of concert, om bij te komen en vervolgens weer de harde werkelijkheid in te gaan. Dat is ook mogelijk en belangrijk. Maar het belangrijkste kenmerk van een transitionele ervaring is nu juist dat deze je in je dagelijkse doen en laten beïnvloedt. Transitionele ervaringen veranderen de manier waarop je in de wereld staat en de wereld beleeft.

Transitionele ervaringen hebben, zegt Winnicott, iets *paradoxaals*. In de waarneming van de wereld lopen subjectiviteit en objectiviteit door elkaar. Dit zien we mooi geïllustreerd in de Harry Potter-boeken. Een vondst vind ik de levende foto's: op de foto's zwaaien de mensen je vrolijk tegemoet (zoals de familie Wemel op vakantie in Egypte), ze glimlachen bemoedigend of bewonderend (Harry's ouders), of proberen zich verlegen blozend achter de rand van de foto te verschuilen (een verliefd meisje). Er is sprake van objectiviteit: op de foto zie je het uiterlijk van mensen zoals ze zijn, en de concrete situaties waarin ze zich bevinden. Tegelijk zie je de mensen op de foto zoals ze zijn in relatie tot jou, zoals jij ze hebt ervaren en zoals jij ze zou willen zien. Een ander mooi voorbeeld van een paradox vinden we in *Harry Potter en de Gevangene van Azkaban*. Harry en Hermelien, zijn boezemvriendin, worden bij een meer belaagd door de Dementors. Net op het moment dat één van hen Harry de dodelijke kus wil toedienen – hij probeert nog zijn Patronus op te roepen, maar die is te zwak – komt er een schimmig dier over het water, dat hem erg aan zijn vader doet denken. Harry raakt bewusteloos, en als hij wakker wordt zijn de Dementors verdwenen. Een aantal uren later worden Harry en Hermelien door Perkamentus terug in de tijd gestuurd, om een missie te voltooien. Ze moeten dan uiteraard oppassen geen anderen, en vooral niet zichzelf tegen te komen. Als het tijdstip opnieuw is aangebroken dat de Dementors hen belagen, kan Harry het niet laten te gaan kijken. Hij is zo nieuwsgierig naar dat raadselachtige dier dat hem gered heeft. Vanaf een veilige afstand aan de andere kant van het meer ziet hij hoe de Dementors Hermelien en hemzelf aanvallen. Wanneer komt het dier nu, denkt hij, het wordt hoog tijd! Tot hij zich realiseert dat hij het zelf is die in moet grijpen, en hij zijn reddende Patronus oproept. Een dergelijke paradox vinden we vaak in sciencefiction-boeken: kun je je eigen lot beïnvloeden door terug te gaan in de tijd? In hoeverre wordt de gang van ons leven bepaald door onze eigen handelingen, in hoeverre door anderen en in hoeverre door het lot of door een persoonlijke god? Heeft Harry nu zichzelf gered, of was het de Patronus, die hij alleen maar kon oproepen op basis van de goede ervaringen die hij ooit in de relatie met zijn ouders heeft opgedaan, of was het nog iets anders, ongrijpbaars? De paradox kan en moet volgens Winnicott niet opgelost worden: hij getuigt van de onlosmakelijke verbondenheid tussen subject- en objectwereld.

De kern van Winnicotts betoog is, zo kunnen we concluderen, dat transitionele ervaringen van groot belang zijn voor de zelfontwikkeling en voor de ervaring van zin. Maar maakt het nu uit hoe je transitionele ervaringen opdoet: in religie, in kunst, in de wetenschap of in het dagelijkse leven? En hoe verhouden ze zich tot de religieuze ervaring? Transitionele ervaringen zijn vergelijkbaar met wat de Nijmeegse godsdienstpsycholoog Jan van der Lans *kernervaringen* noemde (Van der Lans, 1998). Dat zijn ervaringen waarin men de 'meest eigen kern' ervaart, ervaringen die beleefd worden als van het grootste belang voor jou als persoon; ervaringen waarbij je in het diepst van jezelf geraakt wordt en daardoor de wereld op een andere manier gaat zien. In kernervaringen is sprake van nieuwe perspectieven en nieuwe betekenissen, die leiden tot een andere beleving van jezelf. Volgens Van der Lans behoren in ieder geval zowel de religieuze als de esthetische ervaring tot de kernervaringen. Zij raken mensen in hun kern en maken hen open voor een andere kijk op de werkelijkheid; ze kunnen een ander mens van je maken. Kenmerkend voor beide is de emotie ontroering, en ontroering roept een houding van overgave, bewondering, ontzag en eerbied op – zaken die toch met het gebied van religie geassocieerd moeten worden. Er is nog veel meer te zeggen over de relatie tussen transitionele en religieuze ervaring, maar ik wend me nu tot de vraag welk licht de theorie van Winnicott werpt op Harry Potter.

### 3. HARRY POTTER ALS TRANSITIONEEL FENOMEEN

Ik zal laten zien dat de verbeelding in de Harry Potter-boeken bij uitstek *transitioneel* van aard is, juist omdat subjectiviteit en objectiviteit beide tot hun recht komen, en op paradoxale wijze verbonden blijven. Dat mag op het eerste gezicht een vreemde uitspraak lijken. Want, kan men tegenwerpen, is er in de boeken niet juist sprake van een onrealistisch omgaan met de werkelijkheid, waarbij subjectieve verlangens overheersen? Je zwaait met je toverstok, spreekt een spreuk uit, en er staat eten op tafel, de deur springt open, een wond is genezen, of je tegenstander struikelt. Toch is er mijns inziens in de boeken geen sprake van een puur magische en onrealistische wensvervulling. Alison Lurie stelt dat de toverkracht in de Potter-boeken staat voor 'the power of childhood: of imagination, creativity, and of humor' (Lurie, 1999). Oftewel, het is de verbeeldingskracht, de primaire creativiteit van het ware zelf. Is de wereld niet vol Dreuzels, gezien vanuit het standpunt van een verbeeldingsrijk kind, vraagt zij. Volwassenen hebben van die domme regels en willen niets te maken hebben met het onverwachte en met wat je niet kunt zien.

Bovendien speelt de verbeelding in Harry Potter zich af binnen de grenzen van een werkelijkheid die weerstand biedt. Kenmerkend is namelijk dat Harry's toverwereld als twee druppels water lijkt op onze 'gewone' werkelijkheid, en in het bijzonder op de nieuwe fascinerende wereld, waar kinderen die naar school gaan in terechtkomen. Is het niet even fascinerend om te leren lezen als om toverspreuken te leren? Om voor het eerst te fietsen als om op een bezemsteel vliegen? Om chemische proeven te doen als om toverdranken te brouwen? In beide gevallen worden nieuwe werelden geopend, en kun jij, met je eigen capaciteiten, daarbinnen treden. Dit wordt op komische wijze duidelijk in de fascinatie van de familie Wemel, een rasechte tovenaarsfamilie, met de techniek van de Dreuzelwereld. Geweldig vinden ze dat, hoe een telefoon werkt! Dat is nog eens wat anders dan je berichten per uil versturen... En de Dreuzels hebben auto's die werken op benzine in plaats van op toverformules. Hoe krijgen ze dat nu voor elkaar? Een prachtige omkering van perspectief.

Kenmerkend voor de wereld van Harry Potter is verder dat, net als kennis en vaardigheden in het 'echte' leven, toveren niet iets is dat je zomaar kunt of doet. Het moet stapje voor stapje geleerd worden, en dat is hard werken. In de eerste les 'transformatie' is het al heel wat om een lucifer in een naald te veranderen. Bij het moeilijke examen aan het einde van het schooljaar moeten de leerlingen een theepot in een schildpad transformeren. En dat lukt niet iedereen even goed. Bij sommigen lijkt de kop toch nog verdraaid veel op een tuit, bij anderen heeft het schild van de schildpad nog een bloemetjesdessin. En net als in het echte leven heeft de een meer talent voor dit en de ander voor dat; Harry voor vliegen op een bezemsteel, wat hem steengoed maakt in zijn favoriete sport zwerkbal.

Op deze wijze worden kinderen door de Harry Potter-boeken gestimuleerd en gesteund in hun verkenning van de alledaagse wereld. En we hoeven niet zo bang te zijn dat kinderen alles letterlijk nemen. Kinderen kunnen over het algemeen heel goed onderscheid maken tussen verbeeldend en realistisch omgaan met de werkelijkheid – misschien wel beter dan volwassenen. Kleine kinderen spelen bijvoorbeeld graag dat ze grote mensen voeren, maar weten best dat het een doen-alsof is. Als volwassene, zegt Winnicott, moet je niet de fout begaan dat al te letterlijk te nemen, door de lepel echt in je mond te nemen, of te klagen dat er niets op ligt. Het kind is dan verontwaardigd, en het spel bedorven. Natuurlijk zijn er kinderen die dingen wel te letterlijk nemen, maar die doen dat dan ook met sprookjes, de bijbel, of andere zaken die ze te horen krijgen. In dat geval is er vaak wat mis in de ontwikkeling van het transitionele vermogen.

Dat de verbeelding in de Potter-boeken transitioneel van aard is, zie je ook daaraan dat je met toveren niet alles kunt oplossen. Er zijn heel duidelijk grenzen aan de wereld en de kracht van de toververbeelding. Iemand die dood is kun je niet met een toverformule tot leven wekken. Na afloop van ieder schooljaar moet Harry gewoon weer terug naar zijn vreselijke familie. En aan het einde van deel 4 dreigt het Kwaad, in de gestalte van de slechte Voldemort, weer de overhand te krijgen. Alle krachten zullen gebundeld moeten worden om hem te bestrijden. Het boek eindigt dan met de volgende overpeinzing van Harry: 'Het heeft geen zin om je nu al zorgen te maken... Zoals Hagrid gezegd had: wat komen moest, kwam toch... en dat zou hij dan wel het hoofd bieden als het zover was' (*Harry Potter en de Vuurbeker*, 547, geparafraseerd). Hoezo magische wensvervulling? Er is hier eerder sprake van een realistische omgang met de wereld. Typisch modern, in die zin dat de nadruk gelegd wordt op de eigen verantwoordelijkheid en keuzes; maar tegelijk worden de grenzen daarvan erkend, en wordt het onbegrijpelijke en ongrijpbare mysterie van het kwaad gelaten voor wat het is. En ieder kan het kwaad inhoudelijk invullen vanuit de eigen levensbeschouwelijke achtergrond. En zo kom ik tot slot bij de christelijke discussie over de Harry Potter-boeken.

## 4. CHRISTENEN OVER HARRY POTTER: GOED OF SLECHT NIEUWS?

De ethicus Frits de Lange stelt dat in de wereld van Zweinstein dezelfde waarden en normen gelden als in de onze (De Lange, 2002). Goed en kwaad, en hun onderlinge strijd, zijn hoogstens wat scherper aangezet.

Hij wijst op overeenkomsten met de christelijke liefde: Harry's moeder beschermde hem met haar eigen lichaam toen Voldemort hen aanviel. Daardoor slaagde Voldemort er niet in ook Harry te doden. De boodschap hiervan luidt: opofferende liefde is sterker dan de dood. De Lange wijst verder op de quasi-religieuze overgave die er nodig is om op perron $9^3/_4$ te komen. Hij ziet Harry Potter als een moderne messias, de belichaming van het ideaal van de mensheid. 'Hij komt niet als een goddelijke figuur uit de hemel neerdalen, maar neemt als mens van onderop zijn medemensen mee in het zog van zijn moeizaam, maar zelf verworven volmaaktheid' (De Lange, 2002, 21). In de strijd met Voldemort tellen niet zozeer Harry's magische krachten, als wel zijn dapperheid en trouw. Er wordt, zegt De Lange, een moderne opvatting van identiteitsontwikkeling gepresenteerd. Uit onze keuzes blijkt wie we in werkelijkheid zijn. Het gaat er niet om wat je bent, het gaat erom wie je wordt.

Al zie ik zelf de parallel tussen het leven van Harry Potter en dat van Jezus wat minder duidelijk, ik ben het met Frits de Lange eens dat de Harry Potter-boeken een typisch modern-westerse levensbeschouwelijke toon ademen. Ik zou die willen typeren als humanistisch-christelijk, of als geseculariseerd christelijk. Er wordt niet gesproken over God of goden, maar wel over de bestemming van de mens en het mysterie van het kwaad. De uitkomst van de strijd tussen goed en kwaad staat niet vast, maar we moeten en kunnen de goede strijd wel aangaan. Hierbij hebben we zaken als verstand, moed, eensgezindheid en opofferingsgezindheid hard nodig. Ook de Amerikaanse Connie Neal biedt een christelijke interpretatie van Harry Potter in haar *The gospel according to Harry Potter*, maar deze is minder verlicht en meer evangelicaal van kleur (Neal, 2002). Dat kan blijkbaar ook.

Maar niet alle christenen zijn zo positief over de Harry Potter-boeken. De kritiek komt vooral uit de hoek van conservatieve protestantse christenen in de Verenigde Staten (Abanes, 2002),[3] maar ook in Europa.[4] In Nederland heeft bijvoorbeeld de stichting Bijbel en Onderwijs, die de christelijke identiteit van het onderwijs in Nederland wil waarborgen, in een brochure getiteld *Herrie om Harry* gewaarschuwd voor de schadelijke werking van de boeken (2001). Wat houdt de kritiek in? Men wijst op het trivialiseren van de strijd tussen goed en kwaad, en op het feit dat de boeken vertrouwd zouden maken met de wereld van het occulte. Maar men heeft er vooral problemen mee dat het occulte niet serieus genomen wordt. Rowling zou geen duidelijk onderscheid maken tussen de magie in haar boeken en echte vormen van hekserij of satanisme: 'Daarom is de misleiding van Harry Potter niet zozeer dat er met bovennatuurlijke machten wordt gespeeld, maar veeleer dat wordt ontkend dat er zulke machten zijn' (*Herrie om Harry*, 2001, 9). En dit is mijns inziens het cruciale punt: men ziet de occulte wereld – net als de goddelijke wereld – als werkelijk bestaand. Op de de website van de stichting vindt men een 'Occult zakwoordenboek' en daarin staat: 'De verborgen of occulte dingen bestaan volgens de Bijbel wel echt, maar God heeft die niet aan de mensen bekend gemaakt en verbiedt hen om daarover de geesten te raadplegen.' Daar moet je dus niet mee spelen. Men neemt het spreken over toveren dan ook letterlijk, en waarschuwt ervoor dat kinderen Harry zullen nadoen en op school een leraar zullen vervloeken of zich zullen aanmelden bij de hedendaagse heksenbewegingen. Voor dat letterlijk nemen hoef je, als je Winnicott mag geloven, niet zo bang te zijn. Maar het is begrijpelijk dat de Harry Potter-boeken vanuit een dergelijk wereldbeeld als gevaarlijk beoordeeld worden. Wanneer het occulte als een werkelijk bestaande wereld gezien wordt, en niet als een wereld van de verbeelding, dan is het uitermate riskant daarmee te spelen. Ook de mensvisie van conservatieve christenen staat trouwens op gespannen voet met de verlichtingsfilosofie in Harry Potter: het is je leven in eigen hand nemen versus voorbeschikking, vertrouwen op jezelf versus vertrouwen op God.

Als je de omgang met het occulte bekijkt vanuit het perspectief van de verbeelding, dan krijg je een heel andere beoordeling van Harry Potter. De boeken kun je dan zien als spiegelverhalen om de christelijke traditie te verhelderen en eigen te maken. In een uitgave van de Samen op Weg-kerken met de titel *Heilige Harry?* worden de verschillende christelijke standpunten weergegeven. Anders dan in de brochure van de stichting Bijbel en Onderwijs overheerst hier echter het verbeeldingsperspectief.

De conclusie is dat het oordeel over de Harry Potter-boeken afhangt van iemands wereldbeeld en van de functie die men toekent aan de verbeelding in het geloof. En die twee dingen hangen samen. Meer vrijzinnige christenen volgen de visie van Winnicott en van Rowling zelf. Zij zegt: 'Mijn betoverde wereld is een wereld van de verbeelding. Ik denk dat het een morele wereld is' (Van Dijk, 2002, 26). De evangelicale christenen zitten er een beetje tussenin. In het verlicht-evangelicale blad *Christianity Today* wordt bijvoorbeeld gesteld dat toveren net iets is als een verhaal vertellen of een film laten zien, en dat je zo uitstekend het evangelie kunt verkondigen.[5] Overigens wordt er daarnaast óók gewezen op het gevaar dat de boeken kinderen in contact brengen met de occulte wereld, al is het onbedoeld.[6] Wereldbeeld en visie op verbeelding bepalen dus hoe men de Harry Potter-boeken beoordeelt: als goed of als slecht nieuws, als stimulerend en stichtend of als schadelijk en onchristelijk.

Een laatste punt over de christelijke discussie. Het is te begrijpen waarom conservatieve christenen bezwaar hebben tegen Harry Potter. Maar waarom wordt er zoveel minder geprotesteerd tegen In de ban van de ring van Tolkien? Daarin wordt ook een magische, occulte wereld, gepresenteerd. Als verklaring is wel gewezen op het feit dat Tolkien zelf een praktiserend christen was en bevriend met de protestants-christelijke C.S. Lewis, die ook 'fantasy'-verhalen schreef, de Narnia-verhalen.[7] Een plausibeler verklaring lijkt me dat In de ban van de ring veel sprookjesachtiger is, en een wereld presenteert die heel duidelijk los staat van de gewone wereld. De Harry Potter-boeken daarentegen benadrukken juist de aanwezigheid van die andere, verbeeldingswereld midden in de gewone wereld. Zo wordt de verbeeldingskracht gestimuleerd, niet alleen bij het omgaan met de alledaagse wereld, maar ook bij het omgaan met levensbeschouwelijke en religieuze tradities. Als de persoonlijke verbeelding al te sterk wordt toegepast op de eigen traditie, dan wordt het onderliggende wereldbeeld daarvan mogelijk aangetast. Dit wordt nog eens versterkt door de humor in Harry Potter: humor is een relativerende kracht die mensen op een ander been kan zetten en gevestigde opvattingen onderuit kan halen.

## 5. CONCLUSIE

De Harry Potter-boeken zijn zo populair omdat ze de verbeelding stimuleren. Ze laten ruimte voor persoonlijke, creatieve invulling maar benadrukken tegelijk dat de realiteit grenzen stelt. Subjectiviteit en objectiviteit, binnen en buiten, fantasie en werkelijkheid worden getoond als op paradoxale wijze onlosmakelijk verbonden. Daardoor kan het lezen van de Harry Potter-boeken transitionele ervaringen opleveren: ervaringen van er werkelijk te zijn, in contact met de wereld. Dit soort ervaringen stimuleren de zelfontwikkeling en leiden tot zinbeleving, al zal deze niet voor iedereen de vorm krijgen van kernervaringen, laat staan van expliciet religieuze ervaringen.

Een tweede verklaring voor de populariteit van de Potter-boeken is dat de transitionele omgang met de werkelijkheid gestimuleerd wordt op een wijze die goed past in de moderne westerse cultuur.[8] De hedendaagse mens- en wereldbeschouwing zit erin verweven, inclusief de relativerende humor. Tegelijkertijd kun je er veel kanten mee uit, omdat er vrijelijk geput wordt uit literaire genres en motieven. Verschillende interpretaties naast elkaar zijn mogelijk. Daarom zijn de ruimtes in het kasteel Zweinstein zo flexibel, veranderen ze rustig van locatie en zijn niet altijd wat ze lijken te zijn. In de ruimte van de verbeelding is veel mogelijk. Heel veel – maar niet alles.

## Literatuur

Abanes, Richard (2002), *Harry Potter en de Bijbel. De dreiging achter de magie*, Vlissingen: Bread of Life (vertaling van *Harry Potter and the Bible*, Christian Publications, 2001).

Alma, Hans & Zock, Hetty (2000), 'De religieuze zeggingskracht van de opera Dialogues des Carmélites', in: *Gereformeerd Theologisch Tijdschrift*, 3(2000), 103-114.

Alma, Hans & Zock, Hetty (2001), 'The Mercy of Anxiety. A Relational-Psychoanalytic Study of Dialogues des Carmélites', in: *Mental Health, Religion and Culture*, 4(2), 175-192.

Alma, Hans & Zock, Hetty (2003), 'De uitwerking van een religieuze opera op een seculier publiek. Een empirisch onderzoek naar Dialogues des Carmélites', in: *Nederlands Theologisch Tijdschrift*, 57(1), 49-61.

Blake, Andrew (2002), *The Irresistible Rise of Harry Potter*, Londen/New York: Verso.

Colbert, David (2001), *The Magical Worlds of Harry Potter. A Treasury of Myths, Legends, and Fascinating Facts*, Wrightsville Beach, N.C.: Lumina Press.

Doniger, Wendy (2000), 'Can you spot the source? Harry Potter and the prisoner of Azkaban', in: *London Review of Books*, 17 februari, 26-27.

Dijk, Janet van (red.) (2002), *Heilige Harry?*, Utrecht: LDC Samen op Weg-kerken (Toer brochure).

*Herrie om Harry. Hoe gaan we om met de boeken van de schrijfster Joanne K. Rowling?* (2001), Brochure van de Stichting Bijbel en Onderwijs, Amersfoort.

Houghton, John (2001), *A Closer Look at Harry Potter. Bending and Shaping the Minds of our Children*, Eastbourne: Kingsway Publications.

Jongsma-Tieleman, P.E. (1996), *Godsdienst als speelruimte voor verbeelding. Een godsdienstpsychologische studie*, Kampen: Kok.

Kronzek, A.Z. & Kronzek, E. (2001), *De wereld van Harry Potter*, Utrecht: Bruna, 2002 (vertaling van *The Sorcerer's Companion: A Guide to the Magical World of Harry Potter* (2001). New York: Broadway Books).

Lange, Frits de (2002), 'Harry Potter als moderne messias', in: Janet van Dijk, *Heilige Harry?*, 17-23.

Lans, J.M. van der (1998), *Kernervaring, esthetische emotie en religieuze betekenis-geving*, Katholieke Universiteit Nijmegen.

Lurie, Alison (1999), recensie van de drie eerste Harry Potter-boeken, in: *New York Review of Books*, 20, 6-8.

Neal, Connie (2002), *The Gospel according to Harry Potter. Spirituality in the Stories of the World's most Famous Seeker*, Louisville/Londen: Westminster John Knox Press.

Rowling, J.K. (1998), *Harry Potter en de Steen der Wijzen*, Amsterdam: De Harmonie/Antwerpen: Standaard (vert. Wiebe Buddingh').

Rowling, J.K. (1999), *Harry Potter en de Geheime Kamer*, Amsterdam: De Harmonie/Antwerpen: Standaard (vert. Wiebe Buddingh').

Rowling, J.K. (2001), *Harry Potter en de Gevangene van Azkaban*, Amsterdam: De Harmonie/Antwerpen: Standaard (vert. Wiebe Buddingh').

Rowling, J.K. (2001), *Harry Potter en de Vuurbeker*, Amsterdam. De Harmonie/Antwerpen: Standaard (vert. Wiebe Buddingh').

Zock, Hetty (1998), 'Religie, relationaliteit en zinbeleving. Geloof als basis voor religie en zelfwording', in: M. van Uden & J. Pieper (red.), *Wat baat religie? Godsdienstpsychologen en godsdienstsociologen over het nut van religie*, Nijmegen: Katholiek Studiecentrum voor Geestelijke Volksgezondheid, 27-45.

1. Volgens NRC *Handelsblad*, 3 februari 2003.
2. Zo voer ik samen met Hans Alma een onderzoek uit naar de opera *Dialogues des Carmélites* van Francis Poulenc. Zie Alma & Zock, 2000; 2001; 2003.
3. Op talloze websites wordt gewaarschuwd tegen de boeken en krijgen opvoeders tips over hoe om te gaan met het fenomeen.
4. Ook in de Anglicaanse kerk is veel protest te horen. Verder heeft het Openbaar Ministerie in Rusland in naam van de Oosters-orthodoxe kerk in februari 2003 de Harry Potter-boeken veroordeeld.
5. 'Conjuring tricks are an unbeatable way to teach the gospel (…) Conjuring is on the same level as telling a story or showing a movie' (*Christianity Today*, 18 december 2001).
6. Ook de Britse evangelicaal John Houghton (2001) lijkt een middenpositie in te nemen. Hij wijst eerst op de onschadelijke humor in de Harry Potter-boeken en op de mogelijkheid om via verhalen, mythen en fantasie de bijbelse boodschap over te brengen. Maar uiteindelijk oordeelt hij negatief over de boeken vanwege het neo-paganisti-sche wereldbeeld dat erin wordt gepresenteerd.
7. *Trouw*, 4 januari 2002, 12.
8. Andrew Blake (2002) verklaart de populariteit van Harry Potter grotendeels uit het feit dat in de boeken cultureel-maatschappelijke en politieke problemen van de moderne wereld aan de orde komen: 'consumer capitalism'; depressiviteit; de dood van God en de teleurstelling in de wetenschap; het falen van het schoolsysteem.

BERT JAN LIETAERT PEERBOLTE

# Harry Potter als brenger van heil

De laatste tijd wordt er regelmatig voor gewaarschuwd. Het zal ook de oplettende lezer niet zijn ontgaan: je ziet het steeds vaker, op straat, in scholen, in boekhandels en bibliotheken, bij kinderfeestjes thuis, ja zelfs in de kerk. In al die kringen bespeuren wij het gevaar van de oprukkende puntmuts. Het gaat om een zwarte puntmuts met aan de voet een brede, platte rand en dit type puntmuts is ook wel bekend als tovenaarshoed. De nieuwe modecollectie uit Parijs zou de puntmuts wel eens kunnen introduceren in het arsenaal van chique kleding. Dan zal het een maatschappelijk geaccepteerd gebruik zijn dat zakenlieden, als zij uit hun lease-auto stappen en hun jas aandoen, hun uiterlijk de *finishing touch* geven door het opzetten van een zwarte puntmuts. De kans bestaat dat de puntmuts de baret bij de hoogleraren-toga zal doen verbleken. En ook bij het kabinetsberaad zou de puntmuts een noodzakelijk attribuut kunnen worden. Dat is de stand van zaken anno 2003.

Hoe kan het toch, dat een schrijfster zonder werk, gezeten in een café, een kinderwagen naast zich, met haar fantasie en niets dan dat heel de wereld in haar ban houdt? Hoe kan het dat de boeken van J.K. Rowling zó populair zijn geworden dat ze zelfs het uiterlijk van de wereld, al is het maar voor een tijdje, hebben veranderd? Wat is, zo gezegd, de magie van Harry Potter? Dat is de eerste vraag waarover wij ons in deze bijdrage zullen buigen. De genoemde vraag – wat is de magie van Harry Potter – komt op twee manieren aan de orde. In de eerste plaats kun je vragen: Hoe komt het dat de boeken over Harry Potter zo mateloos populair zijn? Wat is, met andere woorden, de magie *van* Harry Potter? En daarmee hangt een tweede vraag samen: hoe zit het met de magie van Harry Potter zoals deze wordt beschreven *in* deze boeken. Wat is daaraan nou zo interessant? De speurtocht naar een antwoord op deze tweeledige vraag zal het eerste deel van dit essay in beslag nemen.

Nadat op de gestelde vraag een antwoord geformuleerd is, komen we toe aan de eigenlijke en wellicht meest wezenlijke vraag: is Harry Potter een moderne brenger van heil? Frits de Lange, hoogleraar ethiek aan de Theologische Universiteit te Kampen, schreef in december 2000 in het dagblad *Trouw* over Harry Potter als 'moderne messias'.[1] Is dat een terechte karakterisering? Wordt Harry in zijn literaire werkelijkheid geschilderd als brenger van heil? Met andere woorden: schetst Joanne Rowling haar held als een messias-achtige figuur? En tenslotte moet de hoofdvraag gesteld worden: werkt de literaire figuur Harry Potter op zijn lezers als brenger van heil?

Kort en goed valt dit essay dan ook uiteen in drie delen. Eerst bezien we het magische succes van de boeken van Jo Rowling alsmede de magie zoals deze in genoemde boeken wordt beschreven. Daarna gaan we na of Harry *literair* gesproken de trekken van een messias heeft. En tenslotte eindigen we bij de vraag of Harry als literaire figuur de *werking* van een messias heeft.

## I. DE MAGIE VAN HARRY POTTER

Laten we bij het begin beginnen: de puntmuts rukt op. Waar ook de auteur dezes een paar jaar geleden nooit van Harry, Ron, Hermelien, Zweinstein, Perkamentus, Hagrid en al die andere karakters uit de boeken had gehoord, zijn zij nu geworden tot algemeen bekende literaire figuren. Alleen ongeletterden weten niet waar perron $9^3/4$ gelegen is, hoe je zwerkbal speelt en hoe de competitie verloopt tussen Griffoendor, Huffelpuf, Ravenklauw en Zwadderich. Hoe komt dit?

Het is misschien een wat erg zakelijke en wellicht zelfs enigszins cynische insteek, maar toch moeten we de analyse beginnen bij het begrip *marketing*. Als er naast Jo Rowling één briljante figuur bij het fenomeen Harry Potter betrokken is, dan is dat degene die de marketing heeft opgezet. Je kunt geen winkel inlopen met je kinderen of je komt Harry en zijn kornuiten tegen. Het is alsof je met een kleuter in het zitje van de boodschappenkar bij de kassa van de supermarkt staat: het snoep staat op graaihoogte voor je kind en je komt er bijna niet onderuit. Zo is het ook met Harry: je kunt er niet omheen. Waar je ook kijkt, je ziet hem.

Doordat de verkoopcijfers gestaag zijn gegroeid, is Harry Potter een op zichzelf staand fenomeen geworden. Een dergelijke *hype* passeert namelijk op een gegeven moment een *point of no return*, waarna zij zichzelf alleen nog maar versterkt. Talloze volwassenen zijn Harry Potter gaan lezen, niet omdat ze zo geïntesseerd waren in de boeken, maar omdat ze niet langer konden meepraten. Zoals je ook naar *Big Brother* of *Idols* moest kijken om de gesprekken in de bus of op je werk te kunnen volgen, zo moet je ook iets van Harry Potter weten.

Het begint dus bij een slimme marketing. Van daaruit wordt een uitstekende vertaler gezocht die niet alleen een mooie Nederlandse tekst schrijft, maar zelfs allerlei nieuwe woorden bedenkt om het Engelse origineel op een goede manier over te zetten. Het woord 'Dreuzel' bijvoorbeeld (voor 'muggle', een Engels neologisme van Joanne Rowling) is een creatie van deze vertaler, Wiebe Buddingh'. Dit woord zal onze taal niet meer verlaten. Voeg dan bij die marketing en de uitstekende vertaling een geslaagde productlijn aan mini-Harry's, mini-Hagrids, bord- en computerspellen enzovoort, dan ben je al een heel eind. Laat vervolgens nog van ieder boek een mooie, gelikte Hollywood-film verschijnen en een heleboel mensen verdienen een heleboel geld aan een heleboel kinderen.

Maar is dat nou alles? Is heel het succes van deze boeken gebaseerd op de marketing en de combinatie van consumptie-drang en productie-drift? Nee, dat is beslist niet zo. Er zijn twee factoren die mede bepalend zijn voor dit succes. De eerste factor is de kwaliteit van de boeken, de tweede factor is het appèl dat deze boeken doen aan een menselijke behoefte aan fantasie en magie. Laten we deze zaken eens achtereenvolgens onder de loep nemen.

Joanne Rowling heeft na deel vier van de serie talloze gezinnen wereldwijd in een geweldige spanning gehouden: wanneer zou deel vijf toch uitkomen? Ze nam haar tijd om het boek niet *snel*, maar *goed* te vervaardigen. Je zou je kunnen afvragen of het misschien niet al veel eerder klaarlag, maar om marketing-technische redenen pas in het begin van de zomer van 2003 op de markt gebracht werd? Een film en een boek tegelijk voor Kerstmis 2002, dat levert natuurlijk geen optimale winst op. Zeker niet als het tweede deel van de verfilming van *The Lord of the Rings* ook net in die periode uitkomt. Een boek, te verschijnen net voor de zomer – een periode waarin mensen de tijd hebben om te lezen – en lang van tevoren aangekondigd, dat doet mensen in de rij staan. Hoe dan ook, de auteur doet haar uiterste best om de boeken *goed* te schrijven en je moet zeggen dat ze daar zeer wel in slaagt. Ze heeft de hele serie van zeven delen te voren uitgedacht: al voor afronding van deel één kende zij de afloop van deel zeven. Het is als *Het Bureau* van Voskuil, maar dan spannender. Dit betekent dat Rowling een verhaallijn heeft uitgedacht die de hele reeks overbrugt. Een dergelijke grote ontwikkelingsgang in een serie van maar liefst zeven boeken houdt de lezer nieuwsgierig hoe het met het vervolg zal gaan. Als ieder deel slechts een losse aflevering was, zou het eenvoudiger zijn na een aantal delen te stoppen. Nu wil je ook na deel vier, of misschien wel juist na deel vier, weten hoe het verder gaat.

Naast de grote verhaallijn componeert Rowling ieder boek apart als een zelfstandige episode. In ieder boek is er een grote groep van bekende, telkens terugkerende karakters, met daarnaast lieden die slechts eenmalig optreden. De vertrouwde ontmoeting met oude bekenden wordt aldus gecombineerd met een nieuwsgierig makende introductie van nieuwelingen. Voeg daarbij dat Rowling verschillende verhaallijnen zorgvuldig weet te vervlechten, dat zij met vaart en humor schrijft en bovendien gebruik maakt van bij haar lezers aanwezige culturele kennis – daarover later meer –, dan heb je de ingrediënten van goede literatuur bijeen. De stijl van haar schrijven is beslist niet hoog literair, maar dat is ook niet wat zij beoogt. Zij schrijft jeugdliteratuur en als jeugdliteratuur zijn deze boeken wel degelijk hoog literair.

Kort en goed mag je zeggen: de kwaliteit van deze boeken is hoog, doordat de auteur goede verhaallijnen weet uit te zetten, deze weet in te vullen met uit de cultuur bekende motieven en dit geheel vermag te larderen met humor en spanning. Er is evenwel nog meer en dat is wat we zouden mogen noemen: het *appèl* van deze boeken.

Waaraan appelleren de boeken van Harry Potter dat zij ook onder volwassenen zo veel los maken? Er zullen er vast wel meer geweest zijn, maar vaak komt het niet voor dat een schrijver van jeugdboeken door zo veel volwassenen gelezen wordt als J.K. Rowling. Hoe kan dat? Dat moet toch iets te betekenen hebben?

Allereerst biedt de *setting* van deze verhalen precies de juiste combinatie van enerzijds vertrouwdheid en beschutting (de kostschool met vastgestelde regels en duidelijke normen en waarden) en anderzijds de spanning van het onbekende (de magische wereld waarin ook Harry Potter en zijn vrienden stukje bij beetje worden ingewijd). Deze combinatie is niet alleen voor kinderen heel plezierig en herkenbaar, maar klaarblijkelijk ook voor volwassenen. Het lijkt erg op het echte leven: het wordt saai als alles vertrouwd en beschut is, maar wel erg bedreigend wanneer je niets dan onbekende en nieuwe dingen tegenkomt.

Daarnaast is er natuurlijk de *magie* in deze boeken. Het heeft er veel van weg dat de magie *van* deze boeken alles te maken heeft met de magie *in* deze boeken. Harry wordt in het eerste deel voor het eerst meegenomen naar Zweinstein ('Hogwarts') en ontdekt dat er door de zichtbare wereld heen een onzichtbare wereld bestaat. Veel lezers vinden het heerlijk om in een dergelijke wereld weg te dromen. Kan het zijn dat dit een vorm van escapisme of zelfs een vorm van impliciete religie is? Dat dit voortkomt uit het verlangen naar een 'meer tussen hemel en aarde'? Dat lezers de eendimensionele werkelijkheid, de alledaagse zakelijkheid beu zijn en zich openstellen voor een ruimere beleving van de werkelijkheid. Weg met de zakelijkheid en leve de fantasie? Zoiets?

Om een antwoord te kunnen geven op die vraag moeten we een uitstapje maken via de vraag: waarom vertellen mensen elkaar verhalen? Het vertellen van verhalen is nog ouder dan de weg naar Rome. Er is geen cultuur onder de zon of de mensen vertellen er verhalen. Dat is niet nieuw; dat is altijd zo geweest. Menselijke cultuur valt of staat met het vertellen van verhalen. En daar waar onze verre voorouders die verhalen vertelden terwijl zij gezeten waren rond het vuur van hun stam, onder de donkere, open lucht, daar vertellen wij elkaar verhalen door romans of in een film. We noemen dat Kunst, maar het is in wezen niets anders dan het vertellen van verhalen zoals ook onze verre voorouders dat deden toen zij nog Wodan aanbaden en dansten rond een eik.

In iedere cultuur zijn er dragende verhalen; verhalen die door de leden van die cultuurgemeenschap erkend worden als maatgevend. Zo vertelden Grieken en Romeinen elkaar de verhalen van Odysseus, die uiteindelijk werden opgeschreven door Homerus. En door heel de christelijke geschiedenis heen zijn het de verhalen uit de bijbel die mensen hebben gevormd en gesteund. Wat dat laatste betreft: die verhalen uit de bijbel hebben niet alleen individuen gevormd en gesteund, maar ook onze maatschappij als geheel. Zelfs onze taal is er diepgaand door beïnvloed.

In een later stadium komen we terug op deze relatie tussen verhalen en cultuur. Waar het nu om gaat, is dat Rowling met haar boeken refereert aan motieven die breed bekend zijn, omdat ze stammen uit de dragende verhalen van onze cultuur. Zo'n motief is het motief van de messiasfiguur die zichzelf opoffert om anderen te redden. Maar even zo goed kun je denken aan Jozef, de zoon van Jacob: Jozef wordt als slaaf verkocht naar Egypte en komt daar zelfs in de gevangenis terecht. Later wordt hij verhoogd en eindigt hij zelfs als onderkoning van dat grote, rijke land.[2] Harry Potter begint in de kast van de familie Duffeling om uit te groeien tot een gevierd persoon op Zweinstein. Het kan haast niet anders dan dat Harry uiteindelijk Perkamentus zal opvolgen als hoofd van de school. Of misschien, om de parallel met Jozef overeind te houden, adjunct-directeur van Zweinstein zal worden.

Joanne Rowling refereert niet alleen aan bijbelse motieven, maar ook aan voorstellingen die bekend zijn uit de antieke literatuur en uit de Middeleeuwen. Daarbij valt direct te denken aan bijvoorbeeld de eenhoorn en de feniks, fabeldieren die een belangrijke rol spelen in de Harry Potter-literatuur. En talrijke andere parallellen zijn te noemen. De creativiteit en humor waarmee Rowling bestaande motieven verwerkt is wel het duidelijkst waarneembaar in het geval van de hellehond Cerberus.[3] Deze doorgaans als driekoppig geschetste, monsterlijke hond die de Styx bewaakt, de overgang naar de Hades, en aldus het geheim van na dit leven afschermt, komt ook voor in deel één van Harry Potter. Dezelfde gestalte bewaakt daar de Steen der Wijzen – overigens ook al zo'n bekend motief – door de geheime ruimte waar de steen opgeslagen ligt af te schermen. De humor van Rowling uit zich vervolgens hierin dat de hellehond, berucht en gevreesd sinds de Oudheid, wordt aangeroepen met de naam *Pluisje* ('Fluffy').

De boeken van Harry Potter verwijzen dus naar bekende motieven en verhalen en doen deze versmelten tot een nieuw geheel. Rowlings boeken bieden zicht op een wereld waarin de dingen niet zijn zoals ze lijken, maar waar een onzichtbare, parallelle wereld door de zichtbare wereld heen loopt. De magie zoals die in deze boeken bedreven wordt, is een manipuleren van de bovenwereld door middel van drankjes en bezweringen.

Het opvallendste aan de bezweringen, de toverspreuken, die Harry en zijn schoolgenoten moeten leren, is dat zij rechtstreeks de loop der dingen veranderen. Door het uitspreken van een magische formule grijpt de tovenaar in in de werkelijkheid. De magie van die handeling wordt in de boeken van Rowling nog eens benadrukt door het gebruik van een wat verwrongen Latijn en oud-Frans voor de formules. Telkens als Harry *lumos!* roept, is er licht. Als de leerlingen *wingardium leviosa* spreken, komt een object los van de zwaartekracht. Wie een *petrificus totalus*-spreuk over zich heenkrijgt, versteent ter plekke. En zo zijn er nog talloze andere spreuken te noemen.

Harry en zijn kornuiten veranderen dus de loop der dingen door taal. Joanne Rowling is niet de eerste die dit motief bedenkt. C.S. Lewis bijvoorbeeld beschrijft in zijn *Narnia*-cyclus de volgende episode:

'Eén enkele vrouw heeft dat alles in één ogenblik voor altijd wegge-vaagd.'

'Wie dan?' vroeg Digory zachtjes, maar het antwoord had hij eigenlijk al geraden.

'Ik,' zei de Koningin. 'Ik, Jadis, de laatste Koningin, maar Konin-gin van de Wereld.'

De twee kinderen zeiden niets. Ze rilden in de kille wind.

'Het was mijn zusters schuld,' zei de Koningin. 'Die heeft me ertoe gedwongen. (…) Wat kon ik anders doen, toen zij eenmaal die gelofte verbrak? De dwaas! Net of ze niet wist dat ik veel meer Tover-kracht had dan zij! Ze wist zelfs dat ik het geheim bezat van het Alles-verwoestende Woord. (…)'

'Wat was dat voor woord?' zei Digory.

'Dat was het allerdiepste geheim dat er bestond,' zei Koningin Jadis. 'Het was onder de grote koningen van ons geslacht al heel lang bekend dat er een woord bestond dat, als het zou worden uitgesproken met de juiste plechtige handelingen, alle levende wezens zou vernieti-gen behalve degene die het uitsprak (…).' (Lewis, 2000, 56)

In deze passage maakt C.S. Lewis gebruik van dezelfde gedachte die in Harry Potter heel de weergave van zijn magie bepaalt, namelijk dat woor-den de gang der dingen beïnvloeden. Koningin Jadis heeft het 'Allesver-woestende Woord' gesproken en inderdaad is zij alleen overgebleven.

Nu is het pogen om de werkelijkheid door middel van magische spreu-ken te manipuleren net zo oud als het vertellen van verhalen. Dit specifieke gebruik van de taal is veelvuldig te vinden in teksten uit de Oudheid, een periode waarin men sterk geloofde in de mogelijkheden van magie.[4] De beroemde filosoof Seneca (eerste eeuw na Chr.) bijvoorbeeld citeert een wet uit de Twaalf Tafels van Rome, de beroemde wet van de Romeinse Republiek, opgesteld in 451-450 voor Chr.[5] Hierin wordt een verbod uitgevaardigd op het gebruik van magische bezweringen om de oogst van een ander door middel van een formule te verplaatsen naar de eigen akker. Nu zal het ook in het oude Rome niet vaak zijn voorgekomen dat er een heel korenveld verplaatst werd door een toverspreuk. Niette-min: alleen het feit al dat de zaak in de oudste wetten van Rome werd gere-geld, wijst uit dat het verschijnsel magie bekend was en serieus genomen werd.

De magische bezweringen in de Harry Potter-boeken gaan dus uit van een voorstelling van taal die de werkelijkheid direct beïnvloedt en staan daarmee in een lange, oude traditie. Het teruggrijpen op de klassieken wordt verder benadrukt door het gebruik van Latijn bij veel magische spreuken. Als Harry bijvoorbeeld belaagd wordt door een Dementor (een 'vergeter', een akelige schim die je al je goede gedachten doet vergeten), roept hij een beschermer op (Patronus, 'beschermer') met de kreet *expecto patronum* ('ik verwacht een beschermer'). En direct komt er een Patronus om hem te ontzetten. Aldus is het Woord bij deze vorm van magie een middel om de werkelijkheid ogenblikkelijk te veranderen. De taal roept een nieuwe werkelijkheid op door deze ter plekke te creëren. Het is bijna een oudtestamentische voorstelling van zaken: het Woord is niet slechts een uitspraak, het is een *daad*.

Het eerste en ook wel grootste literaire genie van de westerse beschaving had de mogelijkheden van dit gebruik van taal goed door. Homerus beschrijft hoe de held Odysseus kon ontsnappen aan de verslindende Kykloop, de monsterlijke reus met één oog, door de taal te gebruiken als wapen:[6]

> En pas toen de Kykloop zijn verstand met wijn had beneveld,
> ging ik weer tegen hem praten met honingzoete woorden:
> 'O ja, Kykloop, u vroeg mijn vermaarde naam nog. Ik zeg hem,
> want dan kunt u mij het beloofde gastgeschenk geven.
> Niemand. Mijn naam is Niemand. Want zo noemen mijn moeder
> en mijn vader me en zo word ik genoemd door mijn vrienden,'
> zei ik en meedogenloos gaf hij mij te kennen:
> 'Niemand zal ik als laatste opeten na zijn vrienden,
> eerst eet ik alle anderen op, dat zal je geschenk zijn.'

Odysseus voert Polyfemos, de Kykloop, dronken en steekt vervolgens zijn ene oog uit met een scherpe boomstam om zich een weg te banen naar de vrijheid. Polyfemos roept dan om hulp:

> Luidkeels schreeuwde hij om de Kyklopen die in de grotten
> rondom hem woonden, verspreid over al die tochtige toppen.
> Op zijn hulpgeroep kwamen ze aan van alle kanten,
> hielden halt voor zijn grot en vroegen wat hem scheelde:
> 'Wat is er mis, Polyfemos, dat je zo staat te schreeuwen
> in de onsterfelijke nacht en je buren uit de slaap houdt?

Of probeert iemand je daar met list of geweld te doden?'
En vanuit zijn grot riep de krachtige Polyfemos:
'Niemand doodt met list en niet met geweld, beste vrienden!'
Zij gaven vleugels aan hun woorden en riepen:
'Nou, als niemand jou iets doet en je bent alleen, dan
slaat de grote Zeus je met ziekte, niets aan te doen dus.'

Odysseus ontvlucht door het slimme gebruik van een enkel woord. Psychologisch en filosofisch is dit uitgangspunt bijzonder interessant. Wanneer je namelijk in staat bent datgene wat jou overkomt te duiden, er een naam aan te geven, dan ben je een eind op weg het te overwinnen. Groeit het kind niet op hand in hand met zijn ontwikkeling van de taal? Staat het uitbouwen van je arsenaal aan talige competentie niet gelijk aan het vat krijgen op de wereld om je heen? En kun je niet inderdaad door taal de wereld veranderen? Niet alleen optisch, maar ook wat de loop van de dingen betreft, getuige Odysseus? De gedachte dat taal een zo machtig instrument is, is fundamenteel voor de boeken van Harry Potter. Het is de hoogste tijd dat wij ons dat ook realiseren. Dat de taal en de verhalen van onze cultuur ons in staat stellen de werkelijkheid te begrijpen en te veranderen. Taal en verhalen zijn samen een instrument dat, indien op de juiste wijze toegepast, kan worden tot een vlijmscherp wapen. Maar niet alleen tot een wapen. Taal en verhalen zijn een middel om de werkelijkheid te begrijpen: je hebt talige begrippen nodig om begrip te krijgen van de wereld om je heen. En door verhalen te vertellen geven mensen een bepaalde visie op hun werkelijkheid door.

Het is goed om het betoog tot dusverre samen te vatten. De boeken van Harry Potter hebben veel succes doordat zij goed geschreven zijn, met andere woorden: doordat het jeugdboeken van goede kwaliteit zijn. Daarnaast worden zij op een uitzonderlijk effectieve manier 'gemarket'. En de derde factor van belang is dat de magie die in deze boeken gepraktiseerd wordt, aansluit bij een belangrijk element van het menselijk omgaan met de werkelijkheid, namelijk de macht van de taal. Kun je nu nog een stap verder gaan en zeggen dat Harry Potter een brenger van heil is? Moeten wij Harry Potter zien als een 'messiaanse' gestalte? Dat is de vraag waarbij wij in het vervolg van deze bijdrage stil zullen staan.

Zoals in het begin reeds aangekondigd werd, zullen wij deze vraag vanuit twee verschillende perspectieven benaderen. Allereerst is er de kwestie of Harry Potter in de boeken van Joanne Rowling wordt *getypeerd* als een messiaanse figuur. Is Harry binnen de literaire werkelijkheid waarin hij bestaat een messias? Daarnaast is er de buiten-tekstuele kwestie of Harry als literaire gestalte de *werking* van een messiaanse figuur heeft. Je zou mogen zeggen: de eerste vraag betreft het portret van Harry Potter binnen de boeken, terwijl de tweede vraag refereert aan de uitwerking die die boeken op de lezers hebben.

## 2. HARRY POTTER ALS BRENGER VAN HEIL VOOR ZWEINSTEIN

Om te beginnen zullen we nader moeten omschrijven wat we bedoelen met een 'messias'. Deze term is te vinden in zowel de joodse als de christelijke traditie, en daarin bestaat bepaald geen overeenstemming over de inhoud. Het maakt nogal veel uit welke beschrijving van de messias we hanteren. Als we bijvoorbeeld kijken naar de beroemde Dode-Zeerollen, vinden we daar twee messiassen: een koninklijke en een priesterlijke messias. En als we de steven wenden naar vroeg-christelijke teksten, is de beschrijving van de messias geheel ingevuld door het leven van Jezus van Nazareth: voor zijn volgelingen was deze man zózeer de belichaming van het begrip 'messias' dat hij het genre bepaalde. Latere rabbijnse teksten spreken over de messias in weer geheel andere termen.

Uit het voorgaande mag blijken: de definitie van het begrip 'messias' hangt sterk af van de persoon die de term gebruikt en de context waarbinnen dat gebeurt. Deze term valt vermoedelijk het beste te definiëren tegen de achtergrond van zijn vroegste betekenis, namelijk 'gezalfde'. De koning van Israël was de gezalfde van God, de leider van godswege die het volk de goede weg moest wijzen. Later werd zo'n 'gezalfde' verwacht als de gezant van God die van gene zijde komt om de zaken recht te zetten. Juist daarin ligt het centrale moment: de messias is een brenger van heil namens God, waarmee ook direct gezegd is dat niet iedere brenger van heil een messias is.

Wanneer we nu vragen of Harry Potter in de boeken van Joanne Rowling optreedt als een dergelijke 'brenger van heil', een messiaanse gestalte dus, vinden we het antwoord in het atheïstisch universum van Potter. De boeken van Rowling beschrijven geen theïstische godheid, beschrijven überhaupt geen goddelijke figuren. Er is een zichtbare wereld en daardoorheen loopt een bovenwereld. De wereld van tovenaars en monsters, van magie en hekserij. Maar die onzichtbare bovenwereld wordt niet bestuurd of bevolkt door de goden van de Olympus en al helemaal niet door JHWH, de God van de bijbel. Het is dus een niet-theïstische bovenwereld, een atheïstisch universum. In die zin is Harry Potter zeker geen messiaanse figuur: hij verwijst niet naar een godheid die hem zendt, maar treedt eigenmachtig op.

Het zou interessant zijn aan de boven gemaakte observatie een uitgebreide analyse toe te voegen over het ontbreken van goden bij Harry Potter, maar dat gaat het huidige bestek te buiten. Wat hier blijft staan, is de observatie dat Harry niet optreedt namens een godheid, maar namens zichzelf. In dit opzicht weerspiegelt Harry feilloos de postmoderne westerse cultuur, waarin magie en 'zweverij' uitstekend passen, maar tastbare goden, of zelfs God, veel moeilijker een plek vinden. Rowling weerspiegelt met haar verhalen de post-metafysische spiritualiteit van het huidige Westen.

Harry is dan wel geen afgezant van een godheid, toch strijdt hij tegen het kwaad dat belichaamd wordt in de gestalte van de duistere Voldemort ('vol-de-mort', vlucht van de dood; deze typering slaat vermoedelijk op de aanval die Harry als baby van deze kwade gestalte overleefde). Harry weerstaat de duistere Voldemort telkens opnieuw, maar niet omdat hij een door een of andere godheid ingegeven kracht heeft. De oorsprong van Harry's kracht, zo laat Rowling haar lezers gaandeweg blijken, ligt veeleer in de aanraking door Lord Voldemort toen deze Harry's ouders doodde. Hierdoor is een deel van diens energie op Harry overgegaan en deze heeft telkens de keuze of hij die energie op goede dan wel kwade wijze wil inzetten.

Met het voorgaande hangt samen dat Harry van meet af aan geschetst wordt als een karakter met goede en slechte kanten. Als de sorteerhoed hem indeelt bij Griffoendor (in deel één), neemt deze langdurig de tijd om uit te vinden of Harry misschien niet toch beter bij Zwadderich past. Het is Harry zelf die daarop de doorslag geeft door zichzelf naar Griffoendor te wensen.

Harry is dus geen gezant van een godheid. Niettemin is hij wel het voorbeeld voor zijn omgeving: hij houdt zich dan wel geregeld niet aan de geldende afspraken, tegelijkertijd trotseert hij moedig de vreselijkste gevaren. Hij komt op voor zijn vrienden, voor de gehele school zelfs, en verslaat telkens de kwade genius van Voldemort. In dat opzicht is Harry voor zijn vrienden wel degelijk een brenger van heil: hij redt hen bij herhaling. Zo zou je mogen zeggen dat Harry Potter geen messiaanse figuur is in deze boeken, maar toch wel een brenger van heil. Een *heros*, een held in de oude Griekse traditie.

### 3. HARRY POTTER ALS BRENGER VAN HEIL VOOR ZIJN LEZERS

De zojuist gedane constatering brengt ons bij de laatste vraag van dit essay: is Harry Potter een brenger van heil voor zijn lezers? In het eerste deel van deze bijdrage is stil gestaan bij de redenen voor het vertellen van verhalen. Daar werd geconstateerd dat mensen elkaar verhalen vertellen om de wereld te begrijpen. In de verhalen die mensen vertellen vinden wij een poging om grip te krijgen op de werkelijkheid. Zo werd geconstateerd dat iedere cultuur *dragende verhalen* kent. Als dat inderdaad zo is, hebben wij een belangrijke sleutel in handen voor het fenomeen 'cultuur'. Cultuur is dan een groep mensen die een verzameling verhalen deelt. Deze verzameling wordt in een stilzwijgende en soms ook expliciet verwoorde afspraak vastgelegd, gecanoniseerd. Zo behoort de bijbel tot de canon van de westerse cultuur, maar dat geldt ook voor de Ilias en de Odyssee. De Koran behoort niet tot de dragende verhalen van de westerse cultuur, net zoals Oude en Nieuwe Testament niet behoren tot de dragende verhalen van de islam. Zie hier een reden voor het grote culturele misverstand van het begin van de 21ste eeuw. Tot de canon van het christendom behoort de bijbel overigens in zó sterke mate, dat je kunt zeggen dat zij de canon van het christendom *is*. Uit precies dat voorbeeld blijkt dan weer dat er tussen canon en cultuur een vorm van interactie plaatsvindt. De canon van het rooms-katholieke christendom ziet er namelijk anders uit dan die van het protestantse deel.[7]

Laten we nu dit verband tussen canon en cultuur eens verder onder de loep nemen. Als er een samenhang is tussen *cultuur* en *canon*, dan is er ook een samenhang tussen *subcultuur* en *canon*. Een subcultuur, zo mag je dan zeggen, is een kleiner onderdeel van een grotere cultuur, waarvan de grenzen bepaald worden door de verhalen die de leden van deze subcultuur met elkaar delen. Aldus bezien zou je mogen spreken van een Harry Potter-subcultuur die gevormd wordt door de canon van Joanne Rowling.

In dit licht laat zich de vraag stellen: werkt binnen deze subcultuur de figuur van Harry Potter als brenger van heil? Het is een interessante en zelfs belangwekkende vraag, waarop we het antwoord zullen moeten zoeken in het proces van het lezen. Harry is namelijk een literaire, imaginaire figuur en het is dus slechts binnen de verbeelding in de acte van het lezen dat hij kan optreden. De vraag of Harry Potter als brenger van heil werkt op zijn lezers, is daarmee eigenlijk de vraag of de lezers van Harry Potter een toestand van heelheid ervaren door hun lectuur. Om die vraag goed te kunnen beantwoorden, zou eerst uitgebreid empirisch psychologisch onderzoek verricht moeten worden. Het is een interessante lijn van onderzoek, maar aangezien de auteur dezes dat onderzoek niet verricht heeft, moet het antwoord op de gestelde vraag in dit essay uit een andere hoek komen. Zo kunnen we een tentatief antwoord formuleren: ja, het laat zich vermoeden dat lezers inderdaad een kortstondige toestand van heil ervaren door hun lectuur. Alleen valt te betwijfelen of die toestand optreedt door de gestalte van Harry. Het is eerder een toestand van heil die optreedt bij lectuur van ieder goed boek. Een toestand van onthechting van tijd en ruimte, waarin het verhaal de lezer meeneemt naar verre oorden, herkenbaar en wonderlijk tegelijk. In die toestand van onthechting ontstaan processen van identificaties en antipathieën, waardoor de lezer zich spiegelt aan de hoofdfiguren uit het verhaal.

Het is diezelfde toestand van onthechting die zich bijvoorbeeld van iemand meester maakt die leest over Bob Dollar in Annie Proulx' roman *That Old Ace in the Hole*. Wanneer Bob het verhaal hoort van Habakuk van Melkebeek, een molen-ingenieur afkomstig uit het duistere Hollandse stadje Kampen – 'berucht om de sukkels die het voortbrengt', aldus Proulx[8] –, komt hem ter ore hoe Van Melkebeek moeite had om te aarden in Texas. Hij kende namelijk de verhalen niet die daar verteld werden, hij kwam uit een andere cultuur met andere verhalen. Dergelijke literaire karakters gaan met de lezer op de loop, dringen zich binnen in zijn wereld en nestelen zich voor enige tijd in zijn brein. Ze worden deel van zijn referentiekader. En sommige van deze karakters blijven er voorgoed.

De toestand van heil waarin Harry Potter zijn lezers brengt, is dus dezelfde toestand van onthechting die zich meester maakt van de verwoede lezers van *In de ban van de ring*, van sciencefiction-literatuur, van iedere vorm van literatuur. Het antwoord op de gestelde vraag is derhalve dat niet Harry Potter, maar *het boek* brenger van heil is. Het brengt de lezer een wereldreis op de eigen bank, kennismaking met andere culturen, kennis van geschiedenis, een spiegeling van het eigen leven of gewoon puur plezier, en de enige inspanning die we ons ervoor moeten getroosten is het heen en weer bewegen van onze pupillen en op gezette tijden het omslaan van de pagina. Zó bezien is Harry Potter een brenger van heil, omdat hij een hele generatie kinderen in een tijdperk van computerspellen, play-stations en televisieverslaving de weg naar de literatuur heeft gewezen. Generaties kinderen zijn opgegroeid met jeugdboeken als Dik Trom en Arendsoog, Karl May en Pietje Bell. Harry Potter heeft zich een plek ver-worven in deze serie helden en een nieuwe generatie jeugd de genoegens van het lezen doen smaken.

SLOT

In dit essay is uiteengezet dat de boeken van Harry Potter een succes vor-men omdat de gehele formule goed doordacht is, omdat het goede boeken zijn, en tenslotte ook omdat het type fantasie en magie dat in deze boeken een rol speelt, uitgaat van een herkenbare vooronderstelling: de manipu-latie van de werkelijkheid door taal. Voorts is betoogd dat binnen deze specifieke verhalen Harry Potter niet als een messias wordt geschetst, maar wel als een brenger van heil, een held. En ten slotte kwamen wij uit bij de conclusie dat de lectuur van deze boeken, zoals de lectuur van ieder goed boek, voor veel mensen heil brengt door de toestand van onthechting die optreedt en de kennismaking met de literaire karakters die zich in onze leefwereld nestelen. Waarom lectuur van deze vreemde verhalen? Omdat wij mensen niet zonder verhalen kunnen en wij via ieder *goed* verhaal weer iets meer aan de weet komen over wie wij zijn en hoe de wereld om ons heen in elkaar steekt.

Literatuur

Graf, Fritz (1997), *Magic in the Ancient World*, Harvard: Harvard University Press (vert. van *Idéologie et practique de la magie dans l'antiquité gréco-romaine*, 1994).
Lewis, C.S. (2000), *De kronieken van Narnia. Het neefje van de tovenaar*, Nijkerk: Callenbach (vert. van *The Magician's Nephew*, 1950).
Luck, George (1985), *Arcana Mundi. Magic and the Occult in the Greek and Roman Worlds*, Baltimore: Johns Hopkins University Press.

1. Frits de Lange, 'Harry huilt nog niet', *Trouw* Letter&Geest, 9 december 2000. Zie voor de tekst: http://home.hetnet.nl/%7Efrits.lange/artpotter.htm.
2. De vele verhalen waarin Jozef optreedt zijn vooral te vinden in Genesis 37-47.
3. Zie bijvoorbeeld Homerus, *Ilias* 8,368 en *Odysseia* 11,622 en Vergilius, *Aeneis* 6.
4. Zie het overzicht in Graf, 1997. Een interessante collectie van teksten is geboden door Luck, 1985.
5. Zie B. Nicholas, *An Introduction to Roman Law* (Oxford: Clarendon, 1962). Seneca schrijft *et apud nos in XII tabulis cavetur 'ne quis alienos fructus excantassit'* – 'en bij ons is in de Twaalf Tafelen een verbod opgenomen "niemand mag de oogst van een ander door een bezwering wegnemen".' Het geval wordt door Plinius de Jongere nog verder uitgewerkt. Zie Graf, 1997, 41-42.
6. Vertaling ontleend aan Imme Dros, *Homeros Odysseia. De reizen van Odysseus* (Amsterdam: Querido, 1994).
7. De 'deuterocanonieke' boeken behoren volgens de rooms-katholieke traditie wel tot de canon van het Oude Testament, maar volgens de protestanten niet. De reden voor de protestantse afwijzing van deze geschriften is dat zij geen onderdeel uitmaken van de Hebreeuwse canon, maar in het Grieks zijn overgeleverd. Het gaat dan om de boeken Tobit, Judit, 1 en 2 Makkabeeën, Wijsheid (van Salomo), Wijsheid van Jezus Sirach, Baruch en de aanvullingen op Ester en Daniël.
8. 'Although Habakuk came from Kampen, which had a reputation for breeding dunces, he considered himself shrewd...' – Annie Proulx, *That Old Ace in the Hole* (New York: Scribner, 2002), 139.

ROLF H. BREMMER JR.

# Zin in Tolkiens *In de ban van de ring*

J.R.R. Tolkiens *The Lord of the Rings* verscheen in drie gebonden delen in 1954 en 1955.[1] Het was het moeizame resultaat van zeventien jaar noeste arbeid. Tolkien (1892-1973) was door zijn uitgever, (Sir) Stanley Unwin, gevraagd om een vervolg van *The Hobbit*, een kinderboek, met Bilbo Balings als hoofdfiguur, dat in 1937 was uitgekomen. Dat boek bleek zo'n succes, dat er volgens de uitgever een schreeuwende markt was voor nog zoiets. Maar toen Tolkien, inmiddels 58 jaar oud, begin 1950 het manuscript van dat vervolg aankondigde, schrok Unwin terug – zo'n dikke pil had hij niet verwacht. Bovendien, het ambitieniveau van het boek lag vele malen hoger dan dat van een kinderboek. Tolkien besefte dat goed en schreef aan Unwin: 'Het werk is me uit de hand gelopen, en ik heb een monster gebaard: een ontzettende lange, ingewikkelde, nogal bittere en nogal afschrikwekkende ridderroman, bepaald ongeschikt voor kinderen (zo geschikt voor wie dan ook)' (Carpenter, 1977, 213; Tolkien & Carpenter, 1982, nr. 124). Unwin probeerde Tolkien over te halen het manuscript in te trekken, maar na lang aandringen van de schrijver besloot hij het boek te publiceren op één voorwaarde: Tolkien zou pas royalty's krijgen als hij uit de kosten was (Carpenter, 1977, 219). Zodoende kwamen de eerste twee delen in harde band uit in 1954, en het laatste deel bijna een jaar later, in november 1955. Dat lange wachten op deel III wekte overigens zowel ongenoegen bij het lezerspubliek als grote verwachtingen, want deel II was geëindigd met een prachtige 'cliff hanger', die na een dieptepunt toch uitzicht gaf: 'Frodo leefde, maar was door de Vijand gevangengenomen'.

De ontvangst van de trilogie in de Engelse pers was op zijn zachtst gezegd nogal gemengd. Volgens *The Observer* was *The Lord of the Rings* ondanks zijn pretenties uiteindelijk gewoon een spannend maar onvolwassen jongensboek. *The Times Literary Supplement* meende dat het niet een boek was 'dat veel volwassenen vaker dan een keer zouden lezen'. Weer een andere criticus zei in reactie op de snelle herdrukken van het boek – deel I was in een oplage van 3500 exemplaren al na zes weken uitverkocht! – 'dat er blijkbaar sommige mensen waren – en vooral, misschien, in Brittannië – die hun leven lang trek bleven houden in jeugdpulpboeken'. Nog een recensent sprak de hoop uit dat Tolkiens boek spoedig zou wegzakken in een genadevolle vergetelheid. Er waren ook andere geluiden te horen. W.H. Auden, de latere Engelse hofdichter, roemde het boek om zijn epische grootheid, terwijl Tolkiens vriend C.S. Lewis hoog opgaf van de mythische dimensies waarin *The Lord of the Rings* het probleem van goed en kwaad behandelde.[2]

Wat de critici ook van het boek zeiden – en het merendeel was er negatief over – het publiek trok zich er blijkbaar niets van aan. De oplage groeide bij iedere herdruk: in 1956 was deel 1 aan de vijfde druk toe. Die gestaag groeiende belangstelling sloeg om in massale belangstelling toen een Amerikaanse uitgever in 1965 een piraten-editie op de markt bracht, zonder overleg met de Engelse uitgever en zonder uitzicht op royalty's. Deze onrechtmatige actie zette Unwin aan het denken, en al gauw daarna, in 1966, verscheen de geautoriseerde paperback-editie, voorzien van een nieuw voorwoord van Tolkien zelf. Vanaf dat jaar begon het boek een ware zegetocht. Het sloot precies aan bij de opkomst van de alternatieve beweging, de hippies en de flower-power, en vooral bij de groeiende afkeer van de oorlog in Vietnam en van de milieuvervuiling. Studenten droegen badges met teksten als 'Gandalf for president' en 'Frodo lives'. In korte tijd waren er meer dan een miljoen exemplaren verkocht in Amerika en had het boek zich een stevige plaats veroverd op de lijst van meest verkochte boeken. Een mooie getuige van die 'hype' was de parodie die in 1969 verscheen, getiteld *Bored of the Rings*, 'Beu van de ring', waarin Frodo blijk geeft een Hobbit van vlees en bloed te zijn, die toegeeft aan allerlei amoureuze avances van bloedmooie elfen (Beard & Kenney, 1969). Sinds die tijd is Tolkiens boek nooit meer weggeweest, en zijn er van de Engelstalige editie alleen al wereldwijd in 2000 meer dan 50 miljoen exemplaren verkocht.

In dit succesverhaal is ook een plaatsje voor Nederland weggelegd, want *In de ban van de ring* was de allereerste vertaling van het boek die verscheen, in 1956 en 1957. De vertaler was Max Schuchart, die er in 1958 de Martinus Nijhoff-prijs voor de beste literaire vertaling voor kreeg.[3] In datzelfde jaar kwam Tolkien naar Nederland om aan te zitten aan een Hobbitbanket, bij welke gelegenheid hij een toespraak hield die hij behalve met Elfs ook met Nederlands doorspekte (Carpenter, 1977, 228). Sinds het verschijnen van de Nederlandse vertaling zijn daar ook al meer dan een miljoen exemplaren van verkocht. Wat verklaart toch het succes van deze dikke pil van pakweg 600.000 woorden?

Het verhaal gaat over een ring met bijzondere krachten, waarvan het voortbestaan van de wereld afhangt en die daarom vernietigd moet worden. Tegen alle verwachtingen in, en na veel moeizame avonturen, lukt dat inderdaad. De wereld waarin deze gebeurtenissen zich afspelen is echter niet onze bekende wereld – al herkennen we veel elementen van de natuurlijke gesteldheid en de flora en fauna –, maar Midden-aarde, bewoond door een grote verscheidenheid aan volken, sprekend in vele talen: naast diverse ondersoorten van het mensengeslacht zijn er Hobbits, Dwergen, Elfen, Enten, Wozen, Pukelmannen, Orks en Ringgeesten. De gebeurtenissen spelen zich af in een onbestemd (en soms onwaarschijnlijk) ver verleden. Hoewel de lijn van het verhaal duidelijk is, worden er zoveel zijpaden bewandeld, dat er soms geen vaart in lijkt te zitten. Toch wordt de lezer onmiskenbaar gedwongen om verder te lezen, wil hij de afloop weten.

Hier wil ik een aantal aspecten bespreken die voor een beter begrip van *In de ban van de ring* behulpzaam kunnen zijn – zonder op volledigheid te kunnen of willen bogen. Waarin schuilt de aantrekkingskracht van het boek? Zit er een diepere boodschap onder de oppervlaktestructuur van het verhaal, en zo ja, welke is die dan? Daarbij schenk ik aandacht aan de volgende punten: (1) een genre- en structuurbepaling; (2) de allegorische benadering; (3) de christelijke uitleg; (4) de mythische lading; (5) de psychologische interpretatie. Tot slot (6) geef ik nog een inkijkje in Tolkiens filologische inspiratie.

## 1. GENRE- EN STRUCTUURBEPALING

In 1930, terwijl hij een stapel examens aan het nakijken was, merkte Tolkien dat hij onbewust op een lege achterkant van een vel het volgende geschreven had: 'In a hole in the ground there lived a hobbit.' Het duurde niet lang of Tolkien had het verhaal *The Hobbit*, zoals hij het noemde, voor tweederde uitgewerkt en getypt, om het daarna weer weg te leggen, en aan iets anders te beginnen dat dringender was, namelijk een lezing voor de British Academy, een zeer eervolle uitnodiging. Voor die gelegenheid moest hij zijn eigen vakgebied weer op, en het resultaat mocht er zijn. De titel van de lezing, in 1936, was '*Beowulf*: The Monsters and the Critics'. De *Beowulf* is een lang Oudengels heldendicht dat verhaalt hoe Beowulf, een jonge prins, eerst twee mensachtige monsters doodt, en ten slotte, aan het eind van zijn leven, een draak verslaat, maar daarbij zelf het leven laat (Jonk, 1977). Dit gedicht is niet alleen de kroon van de vroeg-middeleeuwse Engelse literatuur, maar ook het langste heldendicht uit de Germaanse wereld. Door de geleerden was de *Beowulf* vooral gebruikt om er allerlei historische weetjes over de vroeg-Germaanse wereld uit te peuteren, maar de studie van de creatief-literaire kant ervan was schromelijk verwaarloosd. Men had zich geërgerd aan die monsters als bijgelovige flauwekul, en betreurd dat de dichter niet meer aandacht had geschonken aan allerlei historische zaken en personen. In zijn lezing poogde Tolkien dat manco recht te zetten, en betoogde dat de anonieme dichter met opzet de monsters in het middelpunt had gezet en dat historische feiten voor een literaire waardering niet nodig waren. Tolkiens pleidooi bleek niet zonder vrucht, want vanaf de publicatie van zijn lezing nam de studie van het gedicht een nieuwe wending.[4]

Ondertussen was het onvoltooide typescript van *De Hobbit* toevallig in handen gekomen van de Londense uitgever Stanley Unwin, die er wel wat in zag. Hij drong er bij Tolkien op aan het boek af te maken, en vond gretig gehoor. In een paar maanden tijd stuurde Tolkien het volledige manuscript naar Londen, maar toen hij de drukproeven kreeg schrok hij zo van bepaalde onvolkomenheden en tegenstrijdigheden in het verhaal, dat hij meteen aan het herschrijven van bepaalde passages begon. Die moesten opnieuw door de drukker gezet worden. Eigenlijk was Tolkien nog steeds niet tevreden, maar toen de uitgever hem duidelijk maakte dat dit het moest zijn, gaf hij zich gewonnen. In de herfst van 1937 kwam het boek uit, en tegen Kerstmis was het uitverkocht. Amerika had ook belangstelling, en in 1938 verscheen het daar, om de prijs van de *New York Herald Tribune* te winnen voor het beste jeugdboek van het jaar. Stanley Unwin wreef in zijn handen, want hij bleek een bestseller gepubliceerd te hebben. Daar moest een vervolg op komen.

Het vervolg kwam er als *The Lord of the Rings*, zij het langzaam en moeizaam, na zeventien jaar. Tolkien was zich ervan bewust dat dit boek heel iets anders was dan *De Hobbit*. Was dat boek voor de jeugd geschreven, nu had hij een boek voor volwassenen geproduceerd. Oppervlakkig bezien vertonen beide boeken grote overeenkomsten, want in beide draait het om een figuur die huis en haard verlaat, een aantal avonturen beleeft, en ten slotte behouden thuis komt. Niet voor niets was de ondertitel van *De Hobbit: Daarheen en weer terug*. Met die ondertitel gaf Tolkien aan in wat voor genre het verhaal thuis hoort, namelijk dat van een queeste, zoals dat in de middeleeuwse ridderromans gebruikelijk is. Een queeste is, volgens het woordenboek, 'een tocht of avontuur door een ridder ondernomen om iets te verkrijgen of om een grote daad te verrichten'. Met andere woorden, een ridder verlaat zijn kasteel of het hof van de koning om op avontuur te gaan en uiteindelijk succesvol weer thuis te keren. Als voorbeeld neem ik *Sir Gawain and the Green Knight*, een ridderroman uit het eind van de 14de eeuw, waarvan Tolkien zelf de standaardeditie bezorgde in 1925.[5]

> Het is kerstmis aan Koning Arthurs hof, en er wordt een groot feest-
> maal gehouden. Opeens wordt de feestvreugde verstoord als een reus-
> achtige man, geheel gekleed in het groen en gewapend met een slag-
> bijl, de zaal binnenrijdt en Arthur uitdaagt hem het hoofd af te slaan
> op voorwaarde dat hij over een jaar Arthur het hoofd mag afslaan. Een
> van Arthurs ridders, Gawain, neemt de uitdaging aan voor Arthur, en
> slaat de Groene Ridder het hoofd af. De ridder pakt zijn hoofd op, en
> vertelt Gawain waar hij hem over een jaar kan vinden. Als het zomer is
> vertrekt Gawain, en na een lange tocht vol ontberingen en gevechten
> met allerlei tegenstanders, zowel natuurlijke als buitennatuurlijke,
> komt hij bij het kasteel van heer Bertilak. Daar wordt zijn kuisheid
> drie keer op de proef gesteld door de kasteelvrouwe. Op de aangewe-
> zen dag gaat Gawain naar de afgesproken plek en moet drie keer toe-
> staan dat de Groene Ridder – die niemand anders blijkt te zijn dan
> Bertilak – hem het hoofd probeert af te slaan. Gawain doorstaat de
> proef, en loopt slechts een schampwond op. Als overwinnaar keert hij
> naar Arthurs hof terug.

Kortom: *Sir Gawain and the Green Knight* is typisch een queesteverhaal van 'daarheen en weer terug'.

Maar de queeste die de hoofdplot vormt van *In de ban van de ring*, namelijk het vernietigen van de 'ene ring' in de Doemberg, maakt dat boek nog niet meteen tot een soort middeleeuwse ridderroman, waarin het draait om de lotgevallen van een individuele ridder die beantwoordt aan de gedragscode van de hoofse cultuur met zijn uitgebreide etiquette van vormen en manieren. Daarvoor is het verhaal te complex. Bovendien, de hoofdpersonen, Frodo en Sam, lijken bepaald niet op middeleeuwse ridders. Wel wordt de hoofse cultuur ten dele belichaamd in de bewoners van Gondor, Faramir en Boromir bijvoorbeeld, en, natuurlijk, in Stap-per/Aragorn, wiens ware identiteit van troonpretendent van Gondor stukje bij beetje onthuld wordt.

Een verwant genre waaraan Tolkien zijn inspiratie ontleende, maar veel ouder, is het epos of heldendicht. Volgens de Romeinse dichter Horatius handelt een epos over *res gestae regumque ducumque et tristia bella* ('over de vroegere daden van koningen en aanvoerders en trieste oorlogen'). Een epos speelt zich dus volgens Horatius af in het verleden, en de hoofdfiguren zijn koningen en legeraanvoerders, die oorlogen voeren met een jammerlijke afloop. Ook in deze omschrijving herkennen we de thematiek van *In de ban van de ring*. Wat wetenschappelijker kunnen we een heldendicht als volgt definiëren: het epos in strikte zin is (1) een lang verhalend gedicht over een ernstig onderwerp, dat (2) in een formele en verheven stijl verteld wordt, en (3) draait om een heroïsch of half-goddelijke figuur van wiens daden het lot van een stam, een volk of zelfs de wereld afhangt, (4) het speelt zich af in een groot geografisch gebied, (5) er worden bovenmenselijke daden in verricht, en (6) boven- en buitennatuurlijke wezens spelen er een actieve rol in, zoals goden en monsters (Abrams, 1981, 53-56).

Het is duidelijk dat ook het genre van het heldendicht weerklinkt in Tolkiens boek, zelfs meer nog dan dat van de ridderroman, al is het niet in dichtvorm geschreven. Wel vormen verhalende gedichten een wezenlijk onderdeel en verlenen het boek daardoor een poëtisch karakter. *In de ban van de ring* is ontegenzeggelijk een lang werk: 600.000 woorden verpakt in drie delen, die ieder op zich weer onderverdeeld zijn in twee 'boeken'. Het verhaal gaat aanvankelijk wat koddig van start en blijft daarmee nog onder het epische niveau. Hoewel de ernst snel toeneemt, ruimt Tolkien regelmatig ruimte in voor alledaagse, 'triviale' momenten waarmee hij de ernst van de situatie doorbreekt: zo wordt er regelmatig een pijpje gerookt op een rustmoment, of denkt Sam in het barre land van Mordor aan de piepers van zijn vader, de Oude Gabber. Maar hoe verder het boek komt, des te verhevener de stijl wordt. Veel van de personages in het verhaal bezigen een soort tale Kanaäns, soms erg poëtisch. De held Frodo is weliswaar niet van hetzelfde heroïsche kaliber als Beowulf of half-goddelijk zoals Achilles; integendeel, als Hobbit is Frodo maar een 'halfling', maar van zijn daden hangt wel het voortbestaan van zijn volk, ja van de hele wereld af. Het verhaal speelt zich af in een groot geografisch gebied, dat strekt van de Gouw in het westen tot Mordor in het oosten – niet voor niets zit er een kaart bij het boek –, en er worden bovenmenselijke daden in verricht. Ten slotte, buitennatuurlijke wezens en monsters hebben een belangrijke plaats in het verhaal; goden zijn echter opvallend afwezig. Ik kom op dat laatste nog terug.

We hebben nu vastgesteld dat qua vorm het geraamte van *In de ban van de ring* sterk leunt op zowel het laat-middeleeuwse ridderverhaal als op het klassieke en vroeg-middeleeuwse heldendicht. Die overeenkomsten verklaren voor een groot deel de structuur van het verhaal. Eerst wordt de lezer nogal breedvoerig ingelicht, aanvankelijk in de Proloog door de alwetende verteller, en later, in het tweede hoofdstuk door Gandalf, over 'wat eraan vooraf ging'. Dankzij deze informatie kan de lezer zich wapenen met 'a willing suspense of disbelief', en neemt hij aan dat er Hobbits zijn, waar ze wonen, en vooral wie Bilbo Balings is, en hoe hij aan die bijzondere ring kwam. Nu kan het verhaal echt in gang gezet worden. Tolkien maakt daarbij vooral gebruik van de 'episodische' verteltechniek: er is niet één plot dat een doorlopend continuüm vormt (Frodo's opdracht), maar het verhaal bevat verschillende plots (bijvoorbeeld Gondor, Moria, Isengard, de Gouw), die vaak op knappe wijze aan elkaar gerelateerd zijn. De hoofdplot zelf is opgebouwd uit een aaneenschakeling van avonturen, haast op zichzelf staande eenheden – soms is de lasnaad nog zichtbaar –, die meestal afgesloten worden met een duidelijk rustpunt. Een toelichting aan de hand van Boek I kan deze opbouw duidelijk maken.

In Boek I/2 spreekt Gandalf tegenover Frodo zijn vermoedens uit dat Bilbo's ring niet zomaar een magische ring is die de drager ervan onzichtbaar maakt, maar 'de ene ring', in een ver verleden door Elfen gesmeed. Die ring had de macht over twintig andere krachtige ringen, waarvan er nog maar drie over zijn in de 'vrije wereld', die door de Elfenheersers gedragen worden. De andere zeventien zijn of verloren geraakt of in het bezit gekomen van Sauron, de duistere heerser van het land Mordor, 'waar de schimmen zijn'. Als Sauron de ene ring kan bemachtigen, betekent dat de ondergang van de vrije wereld. Frodo neemt van Gandalf de opdracht aan deze ring, in gezelschap van zijn knecht Sam Gewissies en zijn vriend Pepijn, in voorlopige veiligheid naar Rivendel te brengen, de woonplaats van Elrond de Elf. Om niet te zeer op te vallen, kondigt Frodo zijn vertrek uit Hobbitstee aan als een verhuizing naar het rustiger Krikhol.

De spanning wordt er meteen al ingebracht met het verschijnen van de afschuwwekkende Zwarte Ruiters. Het wordt een tocht met verrassingen en rustpunten: eerst een ontmoeting in het bos met trekkende elfen, dan een copieuze maaltijd bij boer Van der Made, de onverwachte komst van vriend Merijn, en de overtocht met de pont over de rivier de Brandewijn, onheilspellend nagestaard door een Zwarte Ruiter. Van daar gaat het naar

Krikhol, de laatste nacht in de Gouw. De volgende dag gaan de vier verder, en nemen een omweg door het Oude Woud. Daar doemen levensbedreigende gevaren op, maar is er tot twee maal toe redding door de mysterieuze figuur van Tom Bombadil. Na het domein van Tom Bombadil verlaten te hebben, gaan ze verder naar de herberg De steigerende pony in het grensdorp Breeg. Daar treffen ze tegen de afspraak in Gandalf niet aan, maar maken wel kennis met de geheimzinnige Stapper, die hen behoedt voor een nachtelijke aanslag door de Zwarte Ruiters. Hij voegt zich bij het gezelschap, als de laatste etappe naar Rivendel afgelegd moet worden. Opnieuw achterna gezeten door de Zwarte Ruiters, die dienaars van Sauron blijken te zijn, bereiken ze de heuvel Weertop, waar Frodo voor het eerst de ring omdoet, met bijna fatale gevolgen. Hij ontsnapt ternauwernood aan een aanval van de Ruiters, maar raakt daarbij wel zwaargewond. De tocht gaat verder en langzaam zakt Frodo in coma. Terwijl ze alweer op de hielen gezeten worden door de Zwarte Ruiters, verschijnt daar plotseling de elf Glorfindel, en door diens paard gedragen weet Frodo meer dood dan levend de rivier het Luidwater over te steken. Hij maakt nog net mee hoe de rivier plotseling opzwelt en de Zwarte Ruiters in de golven worden verzwolgen. Dan, veilig in het domein van Elrond, verliest hij het bewustzijn, en wordt naar Rivendel gebracht. Nu is er weer tijd voor de nodige rust in het verhaal.

Als de lezer deze beknopte weergave van Boek I tot zich door laat dringen, ontwaart hij een terugkerend patroon van rust ('stasis') naar opgebouwde spanning ('stijgende actie'), acuut gevaar ('verrassing'), bijna ondergang ('crisis'), onverwachte hulp of ontsnapping ternauwernood ('redding'), en nieuwe rust ('stasis'). Met de nodige variatie houdt Tolkien dit patroon tot het einde toe vol; de balans tussen spanning en rust vormt de dynamiek die de lezer de gelegenheid biedt zich steeds weer voor te bereiden op een nieuwe fase in het verhaal.

Er is nog een herkenbare trek in Tolkiens verteltechniek, die treffend naar voren komt in dit eerste boek. Het is de figuur van de weldoener. De eerste verrassende ontmoeting die Frodo, Sam en Pepijn meemaken als ze onderweg zijn, is met trekkende elfen. Door hen worden de vier vrienden gevoed, gelaafd en van proviand voorzien, evenals een dag later door boer Van der Made. Niet alleen kunnen ze bij Tom Bombadil en diens vrouw Goudbezie op verhaal komen – en wordt *en passant* hun blik voor het eerst geopend voor een 'andere' dan de hun vertrouwde wereld. Tom voorziet hun ook van wapens uit een voorbij verleden, afkomstig uit een oeroude grafheuvel. Regelmatig zal de figuur van de weldoener weerkeren in het verhaal (Bilbo, die Frodo zijn zwaard Prik en zijn maliënkolder van *mithril* schenkt; Galadriel, die Frodo een lichtgevend flesje, Sam een elfentouw, en alle vier een camouflerende elfenmantel meegeeft; Faramir, die Sam en Frodo ieder een prachtig bewerkte wandelstok meegeeft, en – natuurlijk – proviand). Is geven belangeloos, of, om het met een Oudengels spreekwoord te zeggen, 'kijkt elk geschenk over de schouder naar achteren'?

Boek I gunt ons niet alleen een blik in de structurele opbouw van het hele werk, maar ook in de conceptuele wereld van Tolkien. Het blijkt dan te gaan om thema's die zich makkelijk in een spreekwoord of gezegde laten samenvatten: er is meer dan het oog ziet; hoop doet leven; als de nood op z'n hoogst is, is redding nabij; in nood leert men zijn vrienden kennen. Spreekwoorden zijn gestolde, morele waarheden, zoals die tot stand zijn gekomen uit de alledaagse ervaring in een traditionele, voor-wetenschappelijke samenleving. Als mediëvist wist Tolkien de narratieve functie van spreekwoorden op waarde te schatten. Meer dan eens verzon hij nieuwe spreekwoorden voor zijn verhaal of bouwde hij bestaande spreekwoorden om. Spreekwoorden hebben meestal een moralistische strekking, en daaruit zou kunnen volgen dat Tolkien een morele boodschap heeft voor zijn lezers en dat zijn boek niet zomaar 'gewoon' een avonturenboek is.

Dat *In de ban van de ring*, afgezien van zijn omvang, meer dan een gewone avonturenroman is, blijkt onder meer uit de veelzijdige historische gelaagdheid van het verhaal. Al kan het boek heel goed los gelezen worden van *De Hobbit* – mede dankzij de Proloog en Gandalfs uitleg aan Frodo in Boek II/2 – het is duidelijk verweven met dat verhaal. Gandalf, Bilbo en Gollem bijvoorbeeld figureren ook in *De Hobbit*. Daarnaast zijn er talloze verwijzingen naar en toespelingen op personen en gebeurtenissen die niet in *De Hobbit* te vinden zijn. Pas na Tolkiens dood bleek dat *In de ban van de ring* enorm schatplichtig was aan een ander werk van hem, *De Silmarillion*. Postuum als 'Unvollendete' verschenen in 1977, maar al begonnen in de Eerste Wereldoorlog, bevat dit boek de weerslag van een leven lang werken aan de historische en mythologische verhalen die de kosmogonische, legendarische en taalkundige achtergrond vormen van de gebeurtenissen in *In de ban van de ring*.

## 2. DE ALLEGORISCHE BENADERING

We zagen hoe de eerste recensies van *In de ban van de ring* nogal tegenstrijdig waren. Volgens sommige critici was het niet veel meer dan een fors uit de kluiten gewassen jongensboek. En zeker, het kan gelezen worden als een avonturenroman. Ik twijfel er niet aan of mijn jongste zoon van 13 heeft het zo gelezen, al was het wel een *tour de force* voor hem om het boek uit te krijgen. Het vergt een groot uithoudingsvermogen van de jonge lezer, en een diepere betekenis van de thematiek zal hem stellig voor het grootste deel ontgaan. Die diepere betekenis hebben mensen er echter wel in gezocht én gevonden, hoewel er geen overeenstemming is bereikt over een eenduidige uitleg.

Aanvankelijk werd het boek vooral gelezen als een allegorie van de grote politieke gebeurtenissen van de 20ste eeuw. Een allegorie is een verhaal waarin de personen en daden, en soms de entourage waarin het verhaal zich afspeelt, zo gecomponeerd zijn, dat ze een samenhangende betekenis krijgen op het letterlijke niveau van betekenis, terwijl er tegelijkertijd een betekenis is op een tweede, dieper niveau dat verwijst naar iets of iemand anders. Denk bijvoorbeeld aan George Orwells *Animal Farm*, waarin de boerderij staat voor de Russische maatschappij, boer Jansen voor de onderdrukkende tsaar Nicolaas II, de varkens voor de communistische elite. Het oudste varken, de Oude Majoor, die de denker is, staat dan voor Karl Marx, Napoleon staat voor Stalin, Sneeuwbal voor Trotsky, enzovoort. Zo zou het verhaal van *In de ban van de ring* volgens sommigen een allegorische hervertelling zijn van de Tweede Wereldoorlog: de Reisgenoten, ieder voor zich een vertegenwoordiger van de volken in de westerse wereld – de Gouw, Rohan, Gondor, een tovenaar, Elfen en Dwergen –, zijn dan de Geallieerden die strijden tegen Sauron (zeg maar Hitler) en zijn bondgenoten, de Asmogendheden. De onbetrouwbare tovenaar Saruman en zijn troepen zouden dan moeten staan voor de Sovjets, en de gevaarlijke ring voor de atoombom. Op zich klinkt dat heel plausibel.

Tolkien heeft zich in 1966, in het voorwoord van de pocketeditie, met kracht verzet tegen zo'n allegorische uitleg. 'Ik heb een hartgrondige hekel aan allegorie in al haar verschijningsvormen en dat is altijd zo geweest sinds ik oud en voorzichtig genoeg werd om de aanwezigheid ervan te ontdekken.' Zo'n allegorische uitleg klopt niet, volgens Tolkien. Want je kunt niet zomaar de personen en gebeurtenissen in zijn boek vervangen door 20ste-eeuwse equivalenten. Wie in het boek zou dan Hitler zijn, wie Stalin en wie Churchill, om maar wat te noemen. Waarmee moet dan bijvoorbeeld de vernietiging van de ring of de weigering om de ring te gebruiken gelijkgesteld worden? De afloop van de Tweede Wereldoorlog was heel anders, en resulteerde in een nieuwe, Koude Oorlog. Waar Tolkien wel voor voelde is wat hij in zijn nieuwe voorwoord 'toepasselijkheid' noemde:

Ik geef verreweg de voorkeur aan geschiedenis, waar of verzonnen, met z'n gevarieerde 'toepasselijkheid' op het denken en de ervaring van de lezers. Ik denk dat velen 'toepasselijkheid' verwarren met 'allegorie', maar de ene berust op de vrijheid van de lezer, en de andere op de overheersing van de schrijver.

Natuurlijk, zo gaf Tolkien toe, 'kan een schrijver niet helemaal onberoerd blijven door zijn ervaring'. Sowieso was hij al zo'n eind gevorderd met zijn het boek toen de Tweede Wereldoorlog uitbrak, dat hij nauwelijks met die gebeurtenissen rekening kon houden. Zijn eigen traumatische ervaringen lagen veel verder terug, in de Eerste Wereldoorlog, op het slagveld van de Somme, want in die hel had hij zijn beste vrienden verloren. En de desolate toestand – fabrieken, vervuiling, landschapsvernieling – waarin Frodo en de zijnen de Gouw aantroffen bij hun terugkeer, heeft niets te maken met de desastreuze politiek van de Labour Partij in de naoorlogse jaren. Nadrukkelijk stelt Tolkien in het voorwoord dat die episode in het verhaal ontwikkeld is 'zonder enige allegorische betekenis of toespeling op de hedendaagse politiek'.

Al die pertinente ontkenningen willen echter niet zeggen dat er in het verhaal geen parallellen te vinden zijn met gebeurtenissen in de Europese politiek van de eerste helft der 20ste eeuw. Ontegenzeggelijk heeft Tolkien zijn ervaringen in het boek verwerkt, alleen ze komen er niet in voor als een samenhangend geheel, zoals van een allegorie verwacht mag worden.

Een mooi voorbeeld van ervaringsverwerking volgens Shippey is de kwestie van de Rammas Echor (Shippey, 2000, 165-166). Zo noemden de mensen van Gondor 'de buitenste muur die ze met grote inspanning hadden opgetrokken, nadat Ithilien onder de schaduw van hun Vijand was gevallen'. De muur wordt voor het eerst genoemd in Boek v/1, als Gandalf met Pepijn naar Minas Tirith rijdt, de versterking bij de voorde in de rivier de Anduin. Op dat moment wordt er nog steeds aan gebouwd en Gandalf zegt tegen de bouwlieden dat hun werk veel te laat is, en verspilling van tijd. 'Laat uw troffels rusten', roept hij, 'en wet uw zwaarden!' Maar ze negeren hem en gaan door met hun werk. Rammas Echor wordt weer genoemd in Boek v/4, als Denethor, de stadhouder van Gondor, volhoudt dat de verdedigingsgordel, 'met zoveel moeite gemaakt', niet verlaten kan worden. Faramir, zijn zoon, is tegen een bemanning van de muur, maar Denethor houdt vol, met als desastreus resultaat dat Faramir gewond raakt en bijna het leven laat. De muur blijkt in de strijd niet die functie te kunnen vervullen waarvoor hij gebouwd was. De hele kwestie lijkt geïnspireerd te zijn door de Maginotlinie, de verdedigingslinie die in de jaren dertig in Frankrijk gebouwd werd om te voorkomen dat Duitsland ooit nog Frankrijk kon binnenvallen. Uiteindelijk bleek het gigantische strategische bouwwerk voor niets te zijn. Zo is het ook met meer episodes die allegorisch geduid zijn, zoals de Zuivering van de Gouw (vi/8), een ietwat los-bungelend naspel van het grote drama, en naar het zich laat aanzien geschreven om de tovenaar Saruman en diens handlanger Slangtong aan hun verdiende einde te laten komen. De Gouw blijkt te zijn overgenomen door een aantal Hobbits, die er politiek-economische ideeën en praktijken op na houden die sterk doen denken aan de socialistische geleide-economie zoals voorgestaan door de naoorlogse Labour Partij. Hoewel Tolkiens afkeer van een dergelijke politiek hier wel naar boven lijkt te komen, en er dus van een zekere 'toepasselijkheid' sprake is, weerstaat dit hoofdstuk toch een systematische allegorische interpretatie van personen en gebeurtenissen.

### 3. DE CHRISTELIJKE UITLEG[6]

Het verhaal is dus geen doorlopende politieke allegorie. Maar hoe zit het met de veelgehoorde opvatting dat het een religieuze, christelijke betekenis heeft? Ook daar had Tolkien een uitgesproken mening over. In 1953 schreef hij aan een bevriende jezuïet:

> *In de ban van de ring* is natuurlijk een fundamenteel religieus en katholiek werk; aanvankelijk onbewust, maar bewust in de herziening. Daarom heb ik in die verzonnen wereld geen verwijzingen naar zoiets als 'religie', eredienst of godsdienstige gebruiken verwerkt, of ze er weer uitgesneden. Want het religieuze element is geabsorbeerd in het verhaal en de symboliek. (Tolkien & Carpenter, 1982, nr. 152)

Tolkien heeft in zoverre gelijk dat het verhaal aan de oppervlakte noch katholiek of zelfs maar religieus is. Geen enkele persoon lijkt religieuze gevoelens te koesteren of religieuze gebruiken na te leven. De Hobbits zijn vrolijk en zorgeloos, hebben allerlei gewoonten, maar nauwelijks rituelen. Ze dopen niet, of iets wat daarop lijkt, trouwen niet plechtig, en hebben geen gewijde grond waarin ze hun doden begraven. Ze hebben lange stambomen, maar aan het begin van hun geschiedenis staat geen Schepper. De Dwergen daarentegen hebben wel schitterend uitgevoerde grafstenen, maar wat er precies met hun doden gebeurt na de dood wordt niet verteld. De Ruiters van Rohan lijken in veel opzichten op de Angelsaksen, de Germaanse stammen die in de 5de eeuw na Christus de Noordzee overstaken en zich in Brittannië vestigden, voordat de zendelingen rond 600 kwamen om hen te bekeren van hun geloof in Wodan en Donar in dat van God en Jezus Christus. Maar er is nauwelijks een spoor van heidens geloof bij hen te vinden. Nauwelijks, op de berg Halifirien na, op de grens van hun domein. Dat woord is verbasterd Oudengels *halig fyrüen* 'heilige berg', maar waarom die berg heilig is, krijgen we niet te weten. Wel zijn de Rohirrim zeer nauwkeurig in het ritueel waarmee ze hun gevallenen in de strijd en hun koningen aan de aarde toevertrouwen. De begrafenis van koning Theoden in een grafheuvel wordt gedetailleerd beschreven, en het ritueel lijkt verbluffend veel op dat waarmee Beowulf begraven wordt; opnieuw, over een leven in een hiernamaals horen we niets (VI/6). Alleen de mensen van Gondor lijken iets van godsdienstige rituelen te hebben. Als Sam en Frodo bij Faramir in diens schuilplaats in Ithilien zijn en aan tafel aanzitten, kijken Faramir en zijn mannen eerst naar het Westen en zwijgen voor ze beginnen te eten, terwijl Sam en Frodo, als het ware zonder te bidden, meteen aanvallen. Op Faramirs vraag of ze niets doen of zeggen voor het eten antwoorden ze verbaasd van nee, en Faramir legt hun uit: 'Zo doen we altijd, we kijken naar Numénor dat geweest is, en naar de Elfenwoon die daarachter ligt, en naar wat achter de Elfenwoon ligt en nog komen zal' (IV/5). Deze reflectie over verleden, heden en toekomst vertoont een opmerkelijke overeenkomst met de temporele drieslag in de groet uit de Openbaring van Johannes 1,4: 'van Hem die is, die was en die komen zal'. Gaat het bij Johannes echter over de transcendente God die niet aan tijd gebonden is, bij de mensen van Gondor is sprake van een immanente heilsverwachting.

Als Denethor, de stadhouder, tijdens het beleg van Gondor ten prooi valt aan wanhoop (een zware zonde vanuit christelijk standpunt) en een eind aan zijn leven wil maken (weer een zware zonde), roept Gandalf hem bestraffend toe:

> U hebt niet de bevoegdheid, Stadhouder van Gondor, om het uur van uw dood te bevelen. En alleen de *heidense* koningen onder de overheersing van de Zwarte Macht deden dat, de hand aan zichzelf slaand uit trots en wanhoop, hun verwanten vermoordend om hun eigen dood te verlichten. (v / 7)

Eigenaardig, dat woord 'heidens', want wat betekent het hier? 'Heidens' is een typisch christelijk woord (in tegenstelling tot bijvoorbeeld 'ongelovig'), dat lijkt te impliceren dat Denethor en de zijnen niet heidens zijn, maar christenen. Dat laatste wordt echter nergens expliciet gesteld, en lijkt in tegenspraak met wat Faramir aan Frodo en Sam had uitgelegd. Tolkiens brief aan zijn jezuïetische vriend blijft dus problematisch, ja paradoxaal: 'fundamenteel katholiek', maar geen woord over Christus. Ook in dit opzicht is er een parallel met de *Beowulf*. Hoewel dat heldendicht duidelijk door een monnik op perkament is gezet (en trouwens in een handschrift staat, dat ook een poëtische bewerking van het apocriefe oudtestamentische bijbelboek Judit bevat), wordt Christus in de *Beowulf* niet één keer genoemd, en blijft God, wanneer hij genoemd wordt, een soort vage monotheïstische god, en zeker niet God de Vader, zoals christenen die kennen.

Openlijk christelijk is Tolkiens boek dus niet, en dat kan ook niet in een wereld waarin God zich (nog) niet geopenbaard heeft. Maar zoals in de Middeleeuwen Vergilius gelezen werd als een heidens dichter die onbewust de messias had aangekondigd in zijn vierde *Ecloge*, zo lijkt Tolkien ook te zinspelen op de komst van Christus. Als de Ring in de krater valt, brengt dat een aardbeving teweeg die tot in Gondor gevoeld wordt, ook door Faramir en Eowyn (vi / 5). Even vrezen de twee het ergste, maar dan klaart de lucht op en komt een Adelaar aangevlogen die tijdingen brengt waarop de mensen niet hadden durven hopen. Hij breekt uit in gezang:

> Zingt nu, gijlieden van de Toren van Anor,
> want het Rijk van Sauron is voor altijd ten einde,
> en de Zwarte Toren ligt omver.

Zingt en verheugt u, gijlieden van de Wachttoren,
want uw wake was niet tevergeefs,
en de Zwarte Poort is gebroken,
en uw Koning is erdoor gegaan,
en hij triomfeert nu.

Zingt en weest blij, kinderen van het Westen,
want uw Koning zal weerkeren,
en hij zal onder u leven,
al uw levensdagen.

En de Boom die verdord was zal worden vernieuwd,
en hij zal hem planten op een hoge plaats,
en de Stad zal gezegend zijn.

Zingt, al gijlieden.

Dit lied bevat verscheidene echo's van de Psalmen, maar vooral van Psalm 24: 'Heft poorten, uw hoofden omhoog, opdat de Koning der ere inga./ Wie is toch die Koning der ere? De Here, sterk en geweldig'. In de middeleeuwse kerk werd Psalm 24 in verband gebracht met Christus, die na zijn dood, maar voor zijn opstanding, de poorten der hel openbreekt, en zegevierend de aartsvaders, Mozes, de profeten en alle rechtvaardigen van het Oude Verbond redt en in triomf meeneemt naar de hemel. Natuurlijk wist de dichter van Psalm 24 dat nog niet – hij had het over zijn eigentijdse koning van Israël – maar onbewust profeteerde hij ook over Christus de koning. Net zo, zou je kunnen zeggen, zingt de adelaar in zijn blijde boodschap niet over de poorten der hel, maar over de poort van Morannon, en de koning verwijst naar Aragorn en niet naar Christus. Toch kunnen wij in het lied een verkapte verwijzing naar Christus lezen, net als de Boom doet denken aan de afgehouwen tronk van Isaï, die weer zal ontspruiten, zoals Jesaja de messias aankondigt (Jesaja 11,8; Romeinen 15,12), en zoals de Stad lijkt toe te spelen op het nieuwe Jeruzalem.[7]

Significant in christelijk opzicht is bovendien dat de Ring vernietigd wordt op 25 maart, nog steeds gevierd als Maria Boodschap (negen maanden voor de geboorte van Christus), maar in de middeleeuwse traditie ook de dag van Christus' kruisiging, en de laatste dag van de schepping. Ook hier, heel onopvallend maar wel uitgekiend, plaatst Tolkien een verwijzing naar het christelijk geloof. Maar fundamenteel christelijk kun je zulke aspecten nauwelijks noemen. Wie echter let op de drijfveren van de hoofdfiguren, zal ontdekken dat Paulus' samenvatting van het christelijk geloof – geloof, hoop en liefde – een cruciale rol spelen: geloof in het goede, hoop op verlossing, en liefde voor de naaste.

### 4. DE MYTHISCHE LADING

Veel lezers hebben in Tolkiens boek een mythische dimensie ervaren. Tolkien zelf heeft zich uitdrukkelijk met mythologie beziggehouden, niet alleen beroepshalve – hij las de IJslandse *Edda* vol Germaanse godenliederen met zijn studenten – maar ook als scheppend auteur: zijn leven lang werkte hij aan de creatie van zijn eigen mythische wereld en mythologie ineen, *De Silmarillion*. Dat Tolkien een mythische lading aan het verhaal van *In de ban van de ring* heeft gegeven is een veronderstelling die dan voor de hand ligt. Een mythe is een verhaal dat een basaal probleem probeert te verklaren, zoals 'Als God almachtig en goed is, hoe komt het kwaad dan in deze wereld?', 'Als alle mensen van Adam en Eva afstammen, hoe komen er dan zoveel talen in de wereld?' Op dat soort vragen geven mythen antwoorden. Maar welke basale vragen liggen dan ten grondslag aan *In de ban van de ring*, en worden door Tolkien naar een mythisch vlak verheven?

Ik geloof dat een van Tolkiens brandendste vragen is wat de aard van het kwaad is (m.n. Shippey, 2000, 128-142). In de christelijke traditie zijn daar twee antwoorden op gegeven. Het ene is de orthodoxe opvatting, zoals verwoord door de kerkvader Augustinus (354–430) en overgenomen door zowel katholieken als protestanten, dat er niet zoiets is als het kwaad. God heeft alles goed geschapen. Kwaad is niets, het is de afwezigheid van het goede. Het kwade kan zelf niets scheppen, het was ook niet geschapen, maar kwam voort uit de vrije wil van Satan, en uit die van Adam en Eva, om zich van God af te keren. Uiteindelijk zal het kwaad worden geëlimineerd, net zoals de Val van Adam werd goedgemaakt door de komst van Christus, de tweede Adam (Augustinus, *De civitate Dei* XIX, xiii). Met regelmaat komt deze Augustiniaanse opvatting over het kwaad naar boven in *In de ban van de ring*. Zelfs in Mordor stelt Frodo: 'de Schaduw (…) kan alleen maar naäpen, hij kan niets maken: geen echt nieuwe eigen dingen' (VI/1). Fangorn/Boombaard heeft al eerder beweerd: 'Trollen zijn slechts namaaksels, gemaakt door de Vijand in de Grote Duisternis om de Enten te bespotten, zoals Orks imitaties van Elfen waren' (III/4). Nog

84

eerder, tijdens de Raad van Elrond, had Elrond ronduit verklaard: 'In het begin is niets kwaad. Zelfs Sauron was dat niet' (ii/2).

De andere opvatting, weliswaar door de kerk bestreden als ketters, is dat het kwaad wèl een zelfstandige werkelijkheid is, en niet slechts een afwezigheid van het goede. Het kwaad kan weerstaan worden, en het zou zelfs plichtsverzaking zijn het kwaad niet te weerstaan. Deze opvatting is in de 3de eeuw na Christus uitgewerkt door de Pers Mani. Volgens deze dualistische leer is de wereld een slagveld waar permanent strijd wordt geleverd tussen Goed en Kwaad, als twee gelijke grootheden. De mens, aldus Mani, moet zich aan de kant van het goede scharen en het kwade bestrijden.

De focus van die twee opvattingen van het Kwade is belichaamd in de Ring. Het eigenaardige van de Ring is namelijk dat hij twee kanten heeft: hij is niet alleen een object, maar lijkt ook een wil te hebben. Dat laatste aspect komt meer dan eens naar boven. Volgens Gandalf 'verliet' de Ring Gollem, op zoek naar een nieuwe eigenaar. Toen Frodo de ring aan Gandalf wilde laten zien, 'voelde hij ineens heel zwaar aan, alsof de ring of Frodo op de een of andere manier niet wilde dat Gandalf hem zou aanraken' (1/2). De Ring glipte ongewild om Frodo's vinger in de herberg De steigerende pony, en maakte zo zijn aanwezigheid bekend. De Ring 'verraadde Isildur', zodat deze ten slachtoffer viel aan de pijlen van de Orks. Die eigen wil van de Ring blijft actief door het hele verhaal heen, nu eens als een object met gevoel, dan weer als een, wat Tom Shippey noemt, psychische versterker (Shippey, 2000, 138-139). Met dat laatste bedoelt Shippey dat de Ring bepaalde negatieve karaktereigenschappen van de drager uitvergroot. Bilbo wordt steeds hebberiger. Op Boromir heeft de Ring het effect te denken dat Sauron met militaire middelen verslagen kan worden, op Sam dat hij zich groter acht dan hij is. En op Frodo? De tweeslachtigheid van de Ring komt misschien wel het mooiste uit als Frodo de Ring omdoet om aan Boromir te ontsnappen, het enige dat hij kon doen, volgens de verteller. Maar hij houdt hem om als hij ontsnapt is, beklimt de top van Amon Hen en gaat zitten op de Troon van het Gezicht. Daar merkt hij dat het oog van Sauron hem zoekt, en hij springt van de troon om zich te verstoppen.

Hij hoorde zichzelf uitroepen: *Nooit, nooit!* Of was het *Jazeker, ik kom – ik kom naar je toe?* Hij wist het niet. Toen, als een flits uit een ander machtig punt, kwam er een gedachte bij hem op: *Doe hem af! Doe hem af! Dwaas, doe hem af!* Die twee machten streden in hem. (ii/10)

85

Hij wordt toegeroepen door twee stemmen, door Sauron en, zo komen we later te weten, door Gandalf. Maar waarom roept hij: *Nooit, nooit!* en: *Ja zeker, ik kom, ik kom naar je toe*? Is dat een innerlijke tweestrijd tussen zijn bewuste wil om het kwaad te weerstaan en zijn onbewuste wil om toe te geven aan het kwaad? Met andere woorden: komt het kwaad van buitenaf (Saurons stem) en van binnenuit?

Meermalen wordt Frodo op de proef gesteld, met als hoogtepunt wanneer hij in Sammath Naur is, het binnenste van de Doemberg, en de Ring in de krater moet gooien. Op dat cruciale moment zegt hij: 'Ik zal die daad niet verrichten. De Ring is van mij!', en schuift de ring om zijn vinger. Hier kon het flesje van Galadriel hem niet meer helpen, zoals in Shelobs duistere hol, want hier is hij in 'het hart van het Rijk van Sauron (…) alle andere machten waren hier getemperd'. Moeten we Frodo's wil en zijn goede eigenschappen daar ook toe rekenen? Als dat zo is, kan Frodo niet verantwoordelijk gesteld worden voor zijn daden, en zou het Kwade een zelfstandige kracht zijn. Maar dat is het manicheïstische standpunt, en in wezen ketters. Frodo kan niet door en door kwaad zijn, want anders had hij de Doemberg niet bereikt. Het lijkt of Tolkien niet goed uit dit dilemma kan komen, en de oplossing is dan ook verrassend: Gollem springt te voorschijn, bijt Frodo's ringvinger af en tuimelt de krater in. Dat kan, dankzij de vergevingsgezindheid die Frodo keer op keer aan Gollem betoond had. Gandalf had het hem duidelijk moeten maken toen Frodo zich afvroeg waarom Gollem niet gewoon gedood kon worden, want dat verdiende hij toch. 'Verdienen', had Gandalf gezegd, 'velen die leven verdienen de dood. En sommigen die sterven, verdienen het leven. Kun jij het hun geven?' (1/2). Gandalf suggereerde ook dat er misschien nog een rol voor Gollem is weggelegd. Zo ergens, dan hier. Frodo wordt door Gollem van zijn 'zonde' gered, maar het kost hem wel zijn vinger. Wie een beetje met de bijbel vertrouwd is, moet hier denken aan Jezus' krachtige uitspraak: 'Als uw hand of uw voet u tot zonde verleidt, houw hem af en werp hem weg. Want het is beter voor u verminkt of kreupel ten leven in te gaan, dan met twee handen of met twee voeten in het eeuwige vuur geworpen te worden' (Matteüs 18,8). De paradox is dat Frodo verminkt zijn leven moet vervolgen, terwijl Gollem in het vuur verdwijnt. Tolkien zelf heeft in reactie op een recensent die meende dat er te vaak genade werd betoond aan Orks, geschreven dat hij bij het schrijven van Frodo's beproeving moest denken aan de zesde bede uit het Onze Vader:

Zeker, hoe vaak kwartier gegeven wordt is niet aan de orde in een boek dat Vergevingsgezindheid (Mercy) uitademt van het begin tot aan het eind: waarin de centrale held tenslotte ontdaan is van alle wapenen, behalve zijn vrije wil? 'Leid ons niet in verzoeking, maar verlos ons van het kwade', zijn de woorden die me door de gedachten schieten, en waarvan de scène in Sammath Naur als een sprookjes-exemplum bedoeld waren.[8]

Hoeveel verzoeking kan een mens redelijkerwijs weerstaan? – dat is een centrale vraag waar Tolkien mee worstelde, en ook in welke vorm de verlossing zich voor kan doen. Verzoeking, het is een probleem dat we meermaals terugzien in *In de ban van de ring*: Boromir kan de Ring niet weerstaan, Galadriel wel. Sam draagt de ring één keer, en lijkt er niet onder te lijden. Maar waarom dat zo is, wordt ons niet onthuld.

Eén punt wil ik hier nog naar voren brengen, en dat is Tolkiens idee van de *eucatastrophe*, de goede ramp (Tolkien, 2000, 167-171). In een lezing over 'fairy tales' – en die zijn dieper van betekenis dan gewone sprookjes – speelt de eukatastrofe een grote rol. In alle grote mythen en verhalen draait het om zo'n 'goede ramp'. De mooiste voorbeelden zijn te vinden in de bijbel. Volgens Tolkien is Christus' geboorte de eukatastrofe van de geschiedenis van de mens. En de wederopstanding is de eukatastrofe van Christus' menswording. Het is een moment waarop we haast gedwongen worden te zeggen: 'Ja, zo is het. Gloria!' Het brengt onverwachte vreugde. Daarom is voor Tolkien het Evangelie, *eu-angelium*, 'goede boodschap', de mythe die alle andere overstijgt en in zich opneemt. Het Evangelie heeft de andere mythen, legendes en volksverhalen niet afgeschaft, maar geheiligd. In *In de ban van de ring* is Gollems onverwachte tussenkomst in Sammath Naur de grootste eukatastrofe in het verhaal.

## 5. DE PSYCHOLOGISCHE INTERPRETATIE

Er is nog een andere lijn van kritische analyse op *In de ban van de ring* losgelaten, de psychologische. Met al zijn eigenaardige wezens, voorwerpen en gebeurtenissen nodigt het boek als het ware daartoe uit. Sommige critici merken op dat het verhaal maar een magere plaats inruimt voor vrouwen, en dat de personages niet of nauwelijks een seksuele kant lijken te hebben. Bilbo is vrijgezel, net als Frodo. Elronds vrouw Celebrian krijgen we niet te zien, Denethor is weduwnaar, de Entvrouwen zijn verdwenen.

De belangrijkste vrouwen in het verhaal zijn Arwen, dochter van Elrond; Galadriel, vrouw van Celeborn, en Eowyn, prinses van de Ruiters van Rohan. Op de achtergrond speelt dan nog Sams toekomstige vrouw Roosje. Twee Elfen, een Mens, en een Hobbit. Arwen wordt in het boek tamelijk passief afgeschilderd. Ze heeft haar liefde aan Aragorn verklaard en weet dat ze daarmee haar onsterfelijkheid als elf moet opgeven. Initiatieven neemt ze niet of nauwelijks. Galadriel lijkt op de ideale vrouw uit de ridderromans, onbereikbaar schoon, een haast vergoddelijkte vrouw. Zij komt beter uit de verf dan haar man Celeborn, is leider van de Boselfen, en daarmee leider van een van de vrije volken van Midden-aarde. En ze heeft statuur: ze weerstaat Frodo's aanbod om de Ring over te nemen. Heel even krijgen we Galadriel dan te zien in haar ware en tevens verschrikkelijke grootheid, maar al gauw neemt ze, althans in Frodo's ogen, weer haar gewone gestalte aan. Ze blijkt een weldoener door de geschenken die ze meegeeft, maar blijft desondanks min of meer stereotypisch. Eowyn is wat we nu zouden noemen, een man die in een vrouwenlichaam is geboren. Als we haar voor het eerst ontmoeten, loopt ze met de beker door de medezaal naar Aragorn om hem te bedienen. Ongelukkigerwijs wordt ze verliefd op hem, een liefde die nooit tot bloei kan komen omdat Aragorns liefde al voor een ander bestemd is. Hoewel Eowyn een schildmaagd genoemd wordt, kan ze als vrouw de waarden van haar volk – dapperheid en moed in de strijd – niet in praktijk brengen. Ze komt pas tot zelfvervulling nadat ze zich als krijger heeft vermomd. Als Dernhelm ('geheime bedekking' betekent die naam) speelt ze dan een belangrijke rol in de Slag op de velden van Pellenor: ze doodt de Nazgûl, van wie gold dat geen man hem kon doden. Maar die rol speelt ze wel in haar hoedanigheid als man. Toch is er voor haar nog geluk weggelegd: uiteindelijk wordt haar liefde opgewekt door Faramir en wordt ze met hem in de echt verbonden. Sams geliefde Roosje, ten slotte, krijgt weinig anders toebedeeld dan moeder van vele kinderen te worden.

De uitingen van echte genegenheid, van liefde, betreffen altijd mannen onderling, met als roerendste voorbeeld de relatie tussen Frodo en Sam. Had Tolkien iets tegen vrouwen? In een Freudiaans geïnspireerd opstel heeft Brenda Partridge geopperd dat Tolkien wellicht latent homoseksueel was (1983). Zij baseert die opvatting op het feit dat Tolkien en zijn vrouw in twee verschillende kamers sliepen; dat hij jaloers werd toen C.S. Lewis zo gecharmeerd was van Charles Williams, een nieuw lid van de Inklings;[9] en dat hij van slag was door Lewis' huwelijk op late leeftijd.

Hoewel de feiten kloppen, is het de vraag of de interpretatie ervan door Partridge juist is. Veel Engelse echtparen uit de middenklasse in die tijd sliepen gescheiden; het is nooit leuk als je plotseling een vriend moet delen; en trouwen met een gescheiden vrouw, zoals Lewis deed, is iets wat voor rooms-katholieken ontoelaatbaar is. Hoe het ook zij, met deze interpretatie ventileert Partridge nog meer. Dat vrouwen een bedreiging voor Tolkien vormden, komt volgens haar het beste uit in het gevecht van Frodo met Shelob, de reuzenspin, die nadrukkelijk vrouwelijk is. Shelobs grot staat, volgens Partridge, voor het vrouwelijk geslachtsorgaan, donker, eng en walgelijk stinkend, en de webben die er hangen stellen het schaamhaar voor. Als Frodo die webben met zijn zwaard – een fallisch symbool – doorklieft, moeten we daarvoor de gewelddadige doorboring van het maagdenvlies lezen. Veelbetekenend legt Frodo het loodje in de ontmoeting met deze archetypische vrouw. Sams gevecht met Shelob doet de strijd tussen man en vrouw nog eens dunnetjes over en hij wijst de vrouw ten slotte haar plaats: op haar rug.

Ik heb moeite met zo'n interpretatie, en Tolkien zou dat zeker gehad hebben, alhoewel die past in zijn onderscheid tussen 'toepasselijkheid' en 'allegorie'. De interpretatie hier ligt in de geest van de lezer en is er stellig niet met opzet door Tolkien in gelegd. Hoe moeten we dan die overwegend passieve rol van vrouwen verklaren? Het antwoord ligt waarschijnlijk in de heldenverhalen die Tolkien bij zijn scheppende fantasie geholpen hebben. Ook in die wereld was geen grote rol weggelegd voor vrouwen. In de *Beowulf*, bijvoorbeeld, komen wel vrouwen voor, maar die hebben, net als Eowyn, voornamelijk de ceremoniële functie van bekerdrager bij het feest. De grote genegenheid in dat gedicht is die tussen de held Beowulf en zijn schilddrager Wiglaf. In diens armen sterft de zwaargewonde Beowulf, maar niet nadat Wiglaf zijn liefde voor zijn heer heeft uitgesproken. Eenzelfde ontroerende scène vinden we na het gevecht met Shelob, wanneer Sam Frodo in zijn armen neemt en veronderstelt dat zijn heer gestorven is. Wat lezers zich tegenwoordig niet goed meer kunnen voorstellen is hoe tussen twee mannen in de ontberingen van het krijgsgeweld een speciale band van genegenheid kan ontstaan. Tolkien had dat meegemaakt en gezien in de loopgraven bij de Somme. Die ervaringen, en zijn vertrouwdheid met de middeleeuwse epiek, verklaren de ondergeschikte rol die vrouwen spelen in *In de ban van de ring*.

## 6. TOLKIENS FILOLOGISCHE INSPIRATIE

Na deze verschillende interpretatiemogelijkheden te hebben geschetst, wil ik tot slot aanstippen hoe Tolkiens filologisch vakmanschap hem inspiratie verleende bij het schrijven van *In de ban van de ring*. Volgens de filosoof-classicus Nietzsche is filologie:

> jene ehrwürdige Kunst, welche von ihrem Verehrer vor Allem Eins heischt, bei Seite gehn, sich Zeit lassen, still werden, langsam werden –, als eine Goldschmiedekunst und -kennerschaft des Wortes, die lauter feine vorsichtige Arbeit abzuthun hat und Nichts erreicht, wenn sie es nicht lento erreicht. (Nietzsche, 1971, 9)

Wie als filoloog een tekst wil lezen, moet zichzelf de tijd gunnen en elk woord afwegen. Tolkien beweerde dat hij elk van de 600.000 woorden in *In de ban van de ring* had afgewogen en geproefd. Meer in het algemeen is filologie die tak van wetenschap die een tekst, en dan met name een tekst uit een oudere taalfase, probeert open te leggen in al zijn facetten, zodat de volle betekenis ervan naar boven kan worden gehaald. Voor Tolkien en zijn tijdgenoten hield dat vooral in dat de etymologie van woorden onderzocht werd. Immers, zo meende men, in de grondbetekenis van het woord lag een hele culturele geschiedenis besloten.

Neem bijvoorbeeld het woord 'elf'. Het woord komt niet alleen voor als *ælf* in het Oudengels, maar ook als *alve* in het Middelnederlands, als *alp* in het Oudhoogduits, en als *alfr* in het Oudnoors; kortom het is een woord dat terug moet gaan tot de tijd voor de Germanen zich opslitsten in allerlei verschillende volken. Bovendien is het op een hoger vlak verwant met het Latijnse *albus* 'stralend wit' en werd het in Tolkiens tijd verbonden met Sanskriet *rbhu*- 'half-goddelijke kunstenaar'.[10] Het woord blijkt uiteindelijk dus terug te gaan op het Indo-Europees, de oertaal waaruit de meeste Europese en Indische talen zijn ontstaan. Deze gereconstrueerde grondbetekenis van het woord paste Tolkien toe op zijn herschepping van de elfen. Er zijn veel Oudengelse persoonsnamen die samengesteld zijn met het woord 'elf'. Stuk voor stuk hebben ze een positieve betekenis, zoals *Ælfred* 'elf-raad', *Ælfwine* 'elf-vriend', *Ælfnoth* 'elf-dapper', *Ælfthryth* 'elf-krachtig', *Ælfhere* 'elf-leger', *Ælfric* 'elf-machtig'. Er is ook een poëtisch bijvoeglijk naamwoord *ælfsciene* 'stralend als een elf', dat slechts twee keer voorkomt: een keer voor Sara en een keer voor Judith, beiden bijbelse vrouwen. Die persoonsnamen en dat bijvoeglijk naamwoord reiken wat hun oorsprong betreft terug tot vóór de kerstening. Uit die betekenissen moet Tolkien geconcludeerd hebben dat elfen voor de Germanen een positieve categorie waren en dat ze een bepaalde 'uitstraling' hadden. Dat er ooit verschillende soorten elfen en elfengeslachten geweest waren, had Tolkien ook begrepen uit de Oudengelse woordenschat: *dunælf* 'heuvelelf', *feldelfen* 'veldelvin', *muntelfen* 'bergelvin', *sæelfen* 'zee-elvin', *wuduælf* 'boself', *wilde ælf* 'wilde elf', *ælfcynn* 'het elfengeslacht'. [11] Na de kerstening werden elfen echter door de kerk in het hokje 'heidens' en dus 'gevaarlijk' geplaatst, zoals bijvoorbeeld blijkt uit de *Beowulf* (r. 111–13):

| Þanon untydras | ealle onwocon, |
| eotenas ond ylfe | ond orcneas, |
| swylce gygantas, | þa wič Gode wunnon. |

('Van hem [Kaïn] ontsproten alle kwade reuzen en elfen en orks, zulke giganten die tegen God vochten'.)

Voor de *Beowulf*-dichter waren enten, elfen en orks één pot nat, behorend tot het kamp dat tegen God vocht. Dat gold niet voor Tolkien. In zijn herschepping van de elfen voor *In de ban van de ring* bracht hij de elfen terug naar de toestand zoals die naar zijn mening voor de kerstening geweest moest zijn.

Eenzelfde aanpak zien we met de Wozen of Wilde Bosmensen (v/5), een geheimzinnig woudvolk, in de buurt van Gondor, dat bijna uitgestorven is. Dat woord had Tolkien slechts één keer kunnen vinden in het Oudengels, waar het voorkomt in een vertaling van een Latijnse zin: *Satiri, vel fauni, vel celini, vel fauni ficarii: unfæle men, wuduwásan, unfæle wihtu* ('boze mannen, woud'wozen', booswichten'). Maar ook veel later, in de Middelengelse *Sir Gawain and the Green Knight* (r. 721), komt het woord voor, en wel in een opsomming van monsters tegen wie Gawain het moest opnemen op weg naar zijn bestemming: *Sumwhyle with wodwos he werres, that woned in the knarres* ('Soms vecht hij met woud'wozen', die in de steile rotsen wonen'). Met zulke summiere gegevens creëerde Tolkien het boomachtige woudvolk, dat bijna uitgestorven is, maar nog één keer wraak kan nemen op de Orks van Sauron. Ik zou nog veel meer voorbeelden kunnen geven van de manier waarop Tolkien zijn kennis van het Oud- en Middelengels heeft aangewend bij de schepping van zijn Midden-aarde. Zijn fenomenale kennis van die talen en literaturen, maar ook van die van het oude Scandinavië, ligt ten grondslag aan ontstaan, ontwerp en uitwerking van *In de ban van de ring*. Het boek stijgt echter ver uit boven het geheel van de samenstellende delen, grote èn kleine. Dat is te danken aan Tolkiens scheppingsvermogen en virtuoze taalgebruik.

## Literatuur

Abrams, M.H. (1981), *A glossary of literary terms*, 6de ed. Harcourt Brace Jovanovich: Fort Worth.

Beard, H.N. en D.C. Kenney (1969), *Bored of the Rings. A parody of J.R.R. Tolkien's 'Lord of the Rings'*. New York: New American Library.

Carpenter, Humphrey (1977), *J.R.R. Tolkien. A biography*. Londen: Unwin, 1977.

Jonk, Jan, vert. (1977), *'Beowulf'. Een prozavertaling*. Amsterdam: Bert Bakker.

Nietzsche, Friedrich (1971), *Morgenröthe. Nachgelassene Fragmente, Anfang 1880 bis Frühjahr 1881*. Nietzsche Werke v.1, red. G. Colli en M. Montinari. Berlijn: De Gruyter.

Partridge, Brenda (1983), 'No sex please – we're Hobbits. The construction of female sexuality in *The Lord of the Rings*', in: Robert Giddings (red.), *J.R.R. Tolkien. This far land*. Londen: Vision Books, 179–197.

Shippey, T.A. (1982), *The Road to Middle Earth*, Londen: Allen & Unwin.

Shippey, Tom (2000), *J.R.R. Tolkien. Author of the century*, Londen: HarperCollins.

Simpson, J.A. en E.S.C. Weiner (eds.) (1989), *Oxford English Dictionary*, 2de ed., Oxford: Clarendon Press.

Tolkien, Christopher en Humphrey Carpenter (1982), *J.R.R. Tolkien. Brieven*, vert. Max Schuchart, Utrecht: Het Spectrum; herz. vert. 2001.

Tolkien, J.R.R. en E.V. Gordon (eds.) (1926), *Sir Gawain and the Green Knight*, Oxford: Oxford University Press; 2de herz. ed. Norman Davis. Oxford: OUP, 1967.

Tolkien, J.R.R. (1936), *'Beowulf'. The Monsters and the Critics*. Sir Israel Gollancz Memorial Lecture, Proceedings of the British Academy, 22, 245–295.

Tolkien, J.R.R. (1957), *In de ban van de ring*, vert. Max Schuchart, Amsterdam: De Boekerij; herz. vert. 1997.

Tolkien, J.R.R. (2000), 'Over sprookjesverhalen', in: idem, *Sprookjes en vertellingen*, vert. Max Schuchart, Utrecht: Het Spectrum, 2000, 107–179.

1. In deze bijdrage baseer ik me op de herziene Nederlandse vertaling van Max Schuchart uit 1997 (onder verwijzing naar Boek en hoofdstuk). Citaten uit Engelstalige boeken heb ik zelf vertaald. Bij het schrijven van dit stuk heb ik voor de interpretatie veel gehad aan de twee boeken van Shippey, te weten *The Road to Middle Earth* (1982) en *J.R.R. Tolkien. Author of the century* (2000), en voor biografische gegevens aan Carpenter, *J.R.R. Tolkien. A biography* (1977) en Christopher Tolkien en Humphrey Carpenter, *J.R.R. Tolkien. Brieven* (1982). Om het notenapparaat niet onnodig te verzwaren, heb ik niet steeds naar deze boeken verwezen waar ik dat had kunnen doen.

2. Over de vroege receptie van *The Lord of the Rings*, zie Carpenter, 1977, 222–226; Shippey, 1982, 1–2.

3. Tolkien gaf uitgebreid commentaar op een proeve van Schucharts vertaling; hij had vooral bezwaar tegen de vernederlandsing van veel namen. Er werd een gulden tussenweg gevonden, maar Schucharts 'Hobbels' voor 'Hobbits' ging eruit. Tolkien & Carpenter, 1982, nr. 190.

4. Tolkien, 1936. Talloze malen herdrukt, zowel afzonderlijk als in allerlei bloemlezingen.

5. Tolkien & Gordon, 1926 (tien keer herdrukt; de 2de herziene editie (1967) is eveneens dikwijls herdrukt). De Nederlandse vertaling, gebaseerd op Tolkiens editie, is *Heer Gawein en de Groene Ridder*, vert. Erik Hertog, Guido Latré en Ludo Timmerman (Utrecht: Het Spectrum, 1979); voor liefhebbers van het Fries: *Hear Gawain en de Griene Ridder*, vert. Klaas Bruinsma (Leeuwarden: Frysk en Fry, 2001).

6. Zie hiervoor ook de bijdrage van Ron Pirson aan deze bundel, p. 96 e.v.

7. In de traditionele christelijke iconografie is de adelaar het symbool van de evangelist Johannes. De associatie kan nauwelijks toevallig zijn hier.

8. Geciteerd uit een ongepubliceerde brief door Shippey, 1982, 110. Een *exemplum* is een kort verhaal dat in middeleeuwse preken gebruikt werd om het thema van de preek levendig te illustreren.

9. Een literair mannenclubje, dat regelmatig in Oxford bijeen kwam in de pub 'Eagle and Child' om elkaar uit recent eigen werk voor te lezen en dat te bediscussiëren. Over Tolkiens jaloezie, zie Carpenter, 1977, 154.

10. Zie *Oxford English Dictionary*, s.v. *elf*. Tolkien had zelf een jaar aan dit monumentale woordenboek meegewerkt.

11. Bron voor de Oudengelse voorbeelden: Toronto Old English Corpus.

RON PIRSON

# God in Middle-earth?*

It is not our part to master all the tides of the world, but to do
what is in us for the succour of those years wherein we are set,
uprooting the evil in the fields that we know, so that those who
live after may have clean earth to till. What weather they shall
have is not ours to rule. (*The Lord of the Rings*, 913)

Tolkien heeft meermaals aangegeven dat hem bij het schrijven van *The
Lord of the Rings* geen ander doel voor ogen stond dan een spannend en
meeslepend verhaal te schrijven. Gezien de almaar toenemende lezers-
schare van het boek is de vraag legitiem of dit een afdoende verklaring is
voor de populariteit van *The Lord of the Rings*. Zou de reden niet ook
elders kunnen liggen?

'*The Lord of the Rings* is of course a fundamentally religious and Catho-
lic work; unconsciously so at first, but consciously in the revision', zo
schrijft Tolkien in een van zijn brieven – een jaar voordat *The Lord of the
Rings* gepubliceerd werd.[1] Naar mijn idee oppert Tolkien in dit fragment
een verklaring die de moeite waard is om te verkennen. Is *The Lord of the
Rings* een religieus boek? In dit artikel ga ik in op de kwestie waarom *The
Lord of the Rings* als religieus boek zo'n aantrekkingskracht zou kunnen
hebben. Daarna behandel ik de vraag: waarin manifesteert zich het 'fundamenteel religieuze en katholieke' in *The Lord of the Rings*?

## 1. DE POPULARITEIT VAN THE LORD OF THE RINGS

Is het succes van *The Lord of the Rings* toe te schrijven aan het religieuze
karakter van het boek? In het verhaal van de Ring is het transcendente
nadrukkelijk aanwezig. Dat is een mogelijke aanwijzing voor de populariteit van het boek, want het besef van iets hogers, van iets buiten de gewone
werkelijkheid, is voor velen uit het dagelijkse bestaan verdwenen of heeft

---

* Dit artikel is ter herinnering aan Leo Vondenhoff (1955-2003), die een onuitwisbaar
stempel op mij heeft achtergelaten. In 1978 stond hij erop dat ik *In de ban van de ring*
zou gaan lezen…

er zelfs nooit een plaats in gehad. Dit is vooral het geval bij degenen die geboren zijn in de jaren zestig van de 20ste eeuw en later: de tijd van emancipatie, opkomende individualisering en vooral secularisatie. Meer en meer personen zijn grootgebracht in een wereld waarin het christelijke geloof niet meer vanzelfsprekend is, steeds minder aanwezig is, en ook van minder belang wordt geacht. Desalniettemin blijft de behoefte aan religiositeit en spiritualiteit bestaan. Het is niet onmogelijk dat *The Lord of the Rings* voor een deel de leemte vult waarin vroeger de kerken, de traditionele zingevingsaanbieders, voorzagen.[2]

Tolkiens vertelling biedt verder een grote diversiteit aan thema's, die alle bijdragen aan de kracht van het werk. Ik noem een aantal voorbeelden: vriendschap, verraad, de vraag van goed en kwaad, zelfopoffering, liefde, oorlog en vrede, trouw, vreugde, angst, onderdrukking, moed, het maken van keuzes, het nemen van verantwoordelijkheid, verlies, medelijden, genade, vergeving en hoop – ze komen in *The Lord of the Rings* allemaal aan de orde.

Deze thema's behoren van oudsher tot het terrein van de religie en tot de verhalen die bij die religie behoren.[3] In ons land zijn dat het christendom en de bijbel. Het kan zijn dat de genoemde thema's in de bijbel op een diepzinniger en ook op meer diverse wijze worden uitgewerkt dan in *The Lord of the Rings*, maar in dat boek zijn ze voor velen begrijpelijker en meer nabij dan in de bijbelse vertellingen.

Dit geldt niet alleen voor de genoemde thema's; ook wat verhaalpersonages en een mogelijke identificatie daarmee betreft valt iets dergelijks te constateren. Voor veel lezers is het onmogelijk geworden zich met bijbelse personen te identificeren. Degenen die de verhalen over Noach, Abraham en Mozes niet van jongs af aan te horen hebben gekregen, maar zijn opgevoed met hedendaagse romans met hun weids uitgesponnen verhaallijnen en karakterbeschrijvingen, ervaren de genoemde bijbelse personen als 'flat characters'. Hoe men vroeger de oude vertellingen las of voorgelezen kreeg en ook hoe men er vervolgens mee omging, is onbekend. Feit is dat huidige lezers niet getraind zijn in het gedegen lezen en analyseren van bijbelverhalen – pas daardoor ontstaat de noodzakelijke diepte bij de hoofdrolspelers. Hiertegenover staan de 'round characters' die *The Lord of the Rings* bevolken en door wie lezers worden aangesproken en door wie zij zich geïnspireerd weten.

Behalve dat religie naar het transcendente verwijst, is een van haar andere kenmerken dat het mensen aanzet tot een andere wijze van in het leven staan (Weima, 1981, 26). Dit zal lezers van *The Lord of the Rings* niet vreemd in de oren klinken. De Amerikaanse schrijfster Robin Hobb schreef onlangs over haar eerste kennismaking met Tolkiens epos, zo'n dertig jaar eerder. Het lezen van het epos had voor haar welhaast een religieuze dimensie: 'when I came out of it, I was a different creature' (Hobb, 2002, 88). Ik heb geen idee op hoeveel boeken iets dergelijks van toepassing is, en dit hoeft uiteraard niet enkel vanuit een religieuze motivatie te gebeuren – er kunnen vele en uiteenlopende redenen zijn. Iedere lezer en iedere generatie lezers heeft andere en eigen motieven. In de jaren zestig is *The Lord of the Rings* door de aanhangers van de 'Counter-culture', de tegencultuur, in de armen gesloten (bijvoorbeeld Pawling, 1984, m.n. 15-16; Glover, 1984, m.n. 191-193 en 203-204). De Hobbits en hun vrolijk gekleurde kledij gingen natuurlijk goed samen met de uitbundige uitdossingen van de hippies, en hun pijpekruid paste goed in kringen waar men niet afkerig was van een waterpijp of joint. Interessant in dit verband is overigens de aantijging dat Tolkien met *The Lord of the Rings* een vlucht uit de wereld propageerde. Het zou gaan om escapistische literatuur: de lezers zouden zich afkeren van de wereld en hun toevlucht zoeken in het door Tolkien gecreëerde universum. Ik denk echter dat juist het tegendeel het geval is: door de schepping van Middle-earth opende Tolkien voor veel lezers ónze wereld.[4] Niet alleen bleek voor hen de wereld meer diepte te hebben, maar ook rees het besef dat de wereld het waard was om voor te strijden. De milieu- en vredesbewegingen van tegenwoordig vinden hun wortels in de tegenbewegingen van de jaren zestig en zeventig – precies de groepen die destijds *The Lord of the Rings* omhelsden. Hiermee wil ik niet zeggen dat Middle-earth de bakermat vormt van de hedendaagse milieu- en vredesbewegingen, maar het boek en de bewegingen delen een bekommernis om de aarde en het respectvol omgaan met wat leeft.[5] Die bekommernis maakt ook wezenlijk deel uit van de christelijke traditie, en daarom keer ik terug naar Tolkiens uitspraak dat *The Lord of the Rings* een fundamenteel religieus en katholiek boek is. Waaruit blijkt dat?

## 2. HET CHRISTELIJKE IN THE LORD OF THE RINGS

Met Tolkiens uitspraak in gedachten is de titel van deze bijdrage 'God in Middle-earth' niet helemaal uit de lucht gegrepen. Van de andere kant: wie *The Lord of the Rings* erop naleest, zal de grootste moeite hebben om ergens iets over God of een god te vinden. Ik heb één plaats in het hele boek kunnen ontdekken waar het woord 'god' voorkomt. De betreffende passage staat in het vijfde boek, aan het slot van het hoofdstuk 'The Ride of the Rohirrim'. Dat hoofdstuk geeft een verslag van de tocht die het leger van Rohan naar Minas Tirith maakt. Daar schrijft Tolkien over Théoden, de koning van Rohan: 'Ten dode gedoemd scheen hij, of de strijdwoede van zijn voorvaderen stroomde als een nieuw vuur door zijn aderen, en hij werd door Sneeuwmaan gedragen als een god van vroeger, als Oromë de Grote in de slag van de Valar toen de wereld nog jong was' (*De Terugkeer van de Koning*, 1097).[6]

In dit citaat valt een verwijzing te lezen naar de oudste tijden in Middle-earth, de tijd 'toen de wereld nog jong was'. In die periode liepen er nog goddelijke wezens rond in Middle-earth, de Valar – van wie Oromë er een is. Enige achtergronden over de Valar of over Oromë geeft *The Lord of the Rings* niet. Pas enige jaren na Tolkiens dood (in 1973) werd een deel van zijn geschriften over Middle-earth door een van zijn zonen uitgegeven. Dat verscheen in 1977 als *The Silmarillion*,[7] waarin Tolkien schrijft over die oudste tijden en een hele kosmologie en theogonie geeft van zijn verzonnen wereld.[8]

Wie zich beperkt tot *The Lord of the Rings*, en het boek dat er min of meer de proloog van vormt, *The Hobbit* (Tolkien, 1937) – en dat is het gros van de lezers (en filmgangers) –, heeft derhalve geen weet van de godenwereld en het relaas van de eerdere tijdperken van Middle-earth. Waar treft een lezer dan aan wat Tolkien bestempelde als 'fundamenteel religieus en katholiek'? Op welke wijze manifesteert het katholieke, of iets ruimer geformuleerd: het christelijke, zich in het boek? Ik bespreek hieronder een drietal gebieden waarop dat christelijke zich voordoet. Ten eerste zijn er verwijzingen naar de bijbel, daarnaast spelen diverse aspecten uit de christelijke traditie door in het boek, en ten slotte staan enkele belangrijke christelijke noties in het boek centraal. Daarna zal ik ingaan op het meer algemeen religieuze in *The Lord of the Rings*.

### Bijbelse allusies

Wie redelijk thuis is in de bijbel wordt bij het lezen van *The Lord of the Rings* getroffen door een aanzienlijke hoeveelheid referenties aan oud- en nieuwtestamentische teksten.[9] Ik beperk me tot een tweetal voorbeelden. Frodo is op weg naar Rivendell, een van de laatste plaatsen waar hij veilig is. Na een aanval van de Nazgûl, de Zwarte Ruiters, is hij gewond geraakt – de Zwarte Ruiters zijn de dienaren van Sauron, de Zwarte Heerser. Frodo vervolgt samen met zijn reisgenoten de tocht naar Rivendell, maar de Nazgûl achtervolgen hen. Dan verschijnt de elf Glórfindel, die Frodo zijn paard ter beschikking stelt, waardoor Frodo voor de dreigende Zwarte Ruiters uit kan vluchten. Even voor Rivendell steekt hij een rivier over. Zodra zijn achtervolgers het water beroeren, verandert de rivier in een kolkende massa terwijl de daarop volgende vloed de Ruiters wegspoelt en hun paarden doet verdrinken. Deze passage herinnert aan de Doortocht door de Rietzee, nadat de Israëlieten onder leiding van Mozes Egypte de rug hebben toegekeerd en de Egyptenaren, hun achtervolgers, door de golven verzwolgen worden.

Het tweede voorbeeld betreft het personage Tom Bombadil. Even nadat de Hobbits aan hun reis zijn begonnen, verdwalen zij in 'Het oude woud', maar komen dan – gelukkig voor hen – Tom Bombadil tegen. Tom Bombadil is een personage dat een unicum is in de wereld van Tolkien. Wie of wat hij is, weet niemand – zelfs Tolkien niet.[10] Hoe dat ook zij, Tom nodigt de Hobbits uit de nacht bij hem door te brengen. Bij binnenkomst in diens huis vraagt Frodo aan Goldberry, de vrouw van Tom: 'Wie is Tom Bombadil?', waarop zij hem antwoordt: 'Hij is'. Ook hier is een verwijzing naar het bijbelboek Exodus te bespeuren.[11] Nog voordat de Israëlieten uit Egypte wegtrekken, heeft Mozes een ontmoeting met God tijdens welke God Mozes zijn naam openbaart: 'Ik ben die ik ben'. Behalve dat 'Hij is' zou kunnen verwijzen naar deze godsnaam, JHWH (waarschijnlijk uitgesproken als 'Jahweh'), lijkt de grammaticale constructie ook op die waarvan Jezus zich in het evangelie van Johannes bedient. Daar duidt Jezus zich diverse malen aan als 'Ik ben'.[12]

### De christelijke traditie[13]

Waar is iets van de christelijke traditie in *The Lord of the Rings* te zien? Ook hiervan geef ik enkele voorbeelden. Het overgrote deel van het boek speelt zich af tussen het moment waarop het Reisgenootschap van de Ring uit Rivendell vertrekt en de ondergang van het rijk van Sauron. Het vertrek vindt plaats op 25 december, toch geen onbelangrijke datum in het christendom. De datum waarop Saurons heerschappij ten einde wordt gebracht door de vernietiging van de ring is 25 maart. Dat is niet alleen de datum van de aankondiging van Jezus' geboorte aan Maria, maar het is ook lange tijd de dag geweest waarop men Jezus' kruisdood heeft herdacht.

Ofschoon iets als bidden en het voltrekken van rituelen bij belangrijke gebeurtenissen niet exclusief zijn voor het christendom, spelen zij in de christelijke traditie een belangrijke rol, en zijn ook niet weg te denken uit *The Lord of the Rings*. Het meest voor de hand liggend om in dit verband te noemen zijn de ceremonies rondom de begrafenis van koning Théoden van Rohan en de kroning van Aragorn tot koning. Maar een ritueel dat gemakkelijk over het hoofd wordt gezien, is te lezen in het vierde boek, in het hoofdstuk 'The Window on the West'. Frodo en Sam zijn de gevangenen van Faramir, de kroonprins van Gondor. Hij heeft hen meegenomen naar de schuilplaats waar hij en zijn manschappen verblijven wanneer ze op patrouille zijn in de buurt van Mordor, het land van de Zwarte Heerser. Voordat zij zich neerzetten om te eten 'keerden Faramir en zijn mannen zich naar het westen en zwegen een ogenblik. Faramir beduidde Frodo en Sam hun voorbeeld te volgen. ' "Zo doen wij altijd," zei hij, toen zij gingen zitten: "we kijken naar Númenor dat geweest is, en naar de Elfenwoon die daarachter is en naar wat achter de Elfenwoon ligt en nog komen zal. Hebt ge niet een dergelijke gewoonte voor de maaltijd?" ' (*De Twee Torens*, 876)[14]

Behalve dit moment van stilte voorafgaand aan de maaltijd, kom je ook op diverse plaatsen in *The Lord of the Rings* het lied 'A Elbereth Gilthoniel' tegen, waarvan in de boeken een vertaling niet voorhanden is.[15] Het is een hymne aan Elbereth, een van de vrouwelijke goddelijke wezens die in het Westen verblijven – dus buiten Middle-earth. Wanneer Frodo in Mordor gevangen is genomen en opgesloten zit in de toren van Cirith Ungol, probeert Sam hem te bevrijden. Om voorbij de 'Silent Watchers' te geraken, richt hij zich tot Elbereth:

*Elbereth Gilthoniel, o menel palan-diriel,*
*le nallon sí di-nguruthos! A tiro nin, Fanuilos*

In het Nederlands vertaald betekent Sams uitroep iets als: 'O koningin der hemelen die de sterren doet fonkelen, die gekleed gaat in wit en van verre toeziet; hier door doodsangst bevangen roep ik: "O help mij, Gij, die wit als sneeuw zijt".'[16] Personages in het boek roepen Elbereth aan als een beschermgodin of beschermengel.

Ik noemde zojuist de datum van Jezus' kruisdood. Men heeft ook gemeend enkele Christus-achtige personen aan te treffen in *The Lord of the Rings*, zoals de tovenaar Gandalf, maar ook Aragorn en Frodo. Wat Gandalf betreft denk ik niet dat die observatie juist is. Het is waar dat Gandalf, zoals Jezus, terugkeert uit de dood, maar ofschoon hij de voornaamste strijder tegen het kwaad is, is hij geen verlosser. Tolkien zelf schreef over

Gandalf dat hij een boodschapper is, een *angelos*, een engel, die vanuit het domein van de goden naar Middle-earth gezonden was (Carpenter, 1981, 202; 237). Gandalf laat zich ook min of meer in zulke bewoordingen uit na zijn terugkeer uit de dood: 'Naakt werd ik teruggestuurd – voor korte tijd, tot mijn taak zal zijn volbracht' (*De Twee Torens*, 650).[17]

Van Aragorn en Frodo zou je misschien wel kunnen zeggen dat ze messiaanse trekjes hebben. Aragorn blijkt uiteindelijk inderdaad de teruggekeerde koning, naar wie men eeuwenlang heeft uitgezien – en evenals Jezus is hij in staat mensen te genezen: 'the hands of the king are the hands of a healer', zo haalt een van de vrouwen van de stad Minas Tirith een oud spreekwoord aan (*The Lord of the Rings*, 894, 897; *De Terugkeer van de Koning*, 1126, 1129). Ook doorkruist hij de onderwereld, het rijk van de schimmen, voordat hij redding brengt.[18] Frodo, de Ringdrager, draagt met de Ring het lot van de gehele wereld. Als de Ring in handen mocht komen van Sauron, dan is daarmee het lot van de wereld bezegeld. Wat er voor alle vrije wezens zal resteren is dan enkel duisternis: duisternis, ellende en onderdrukking. Wanneer Frodo aan het eind van zijn queeste, ondanks zichzelf, erin is geslaagd de Ring te vernietigen, is de wereld voor hem onleefbaar geworden – hij kan haar lasten niet meer dragen. Door de wereld te redden, heeft hij haar verloren. Hij heeft daadwerkelijk zijn leven gegeven tot redding van velen.[19]

*Christelijke noties: vergeving, genade, medelijden en hoop*
Hierboven schreef ik dat de Ring vernietigd wordt: Frodo is 'ondanks zichzelf' in zijn missie geslaagd. Maar dat was kantje-boord. Nadat de Ring in de vlammen van Mount Doom is verdwenen zegt Frodo tot zijn dienaar Sam: 'Maar herinner je je Gandalfs woorden: zelfs Gollum heeft misschien nog iets te volbrengen? Als hij er niet geweest was, Sam, zou ik de Ring niet hebben kunnen vernietigen. De Queeste zou tevergeefs zijn geweest, zelfs aan het bittere einde. Laat ons hem daarom vergeven! Want de Queeste is tot een goed einde gebracht, en nu is alles voorbij' (*De Terugkeer van de Koning*, 1239 [vgl. 81 en 330]; *The Lord of the Rings*, 983 [vgl. 73 en 237]). Frodo vergeeft de kwelgeest die hem en anderen in grote problemen heeft gebracht. Maar waarom kon Frodo Gollum vergeven, of beter: hoe kon het zijn dat Gollum überhaupt aanwezig was aan het eind van de queeste? Gollum is helemaal bezeten van de Ring, want hij was lange tijd de eigenaar, voordat de Hobbit Bilbo de Ring vond. Door toedoen van Gollum is de Vijand erachter gekomen dat Frodo nu de Ring heeft. In

het begin van het boek onthult Gandalf Frodo de ware aard van de Ring, en hij doet dan ook de rol van Gollum uit de doeken. Dit brengt Frodo tot zijn uitroep: 'Wat jammer dat Bilbo dat veile creatuur niet heeft doodgestoken toen hij de kans had.' Waarop Gandalf: 'Jammer, zeg je? Het was medelijden dat zijn hand weerhield. Medelijden en Genade: niet doden als het niet nodig is.' Bilbo, zo zegt Gandalf verder, is niet aan de verderfelijke krachten van de Ring ten prooi gevallen omdat zijn eigendom van de Ring juist op die wijze is begonnen: met medelijden (*De Reisgenoten*, 80; *The Lord of the Rings*, 73).[20] Dus rondom de Ring en zijn eigenaars Gollum, Bilbo en Frodo cirkelen de begrippen vergeving, genade en medelijden. Juist door deze combinatie is de wereld verschoond gebleven van de heerschappij van het Kwaad. Dat zijn drie belangrijke begrippen uit de christelijke traditie.

Er is nog zo'n woord dat voortdurend in *The Lord of the Rings* opduikt: hoop. Het christendom is de godsdienst van de hoop, en zo zou je *The Lord of the Rings* misschien wel het boek van de hoop kunnen noemen. Hoe hopeloos het er ook uitziet, toch is er altijd de hoop, het verlangen en daarmee ook het vertrouwen dat de donkere machten niet zullen zegevieren.[21] Wanneer Gandalf in de diepte is gestort en gestorven, zegt Galadriel, de Vrouwe van Lothlórien: 'Maar ook nu nog is er hoop.' Na Gandalfs terugkeer uit de dood begeeft hij zich samen met Aragorn, Legolas en Gimli naar Rohan, waar zij aan koning Théoden en Éomer, de troonopvolger, hun plannen ontvouwen. 'Nu is er werkelijk hoop op een overwinning', zegt Éomer daarop (*De Twee Torens*, 571; *The Lord of the Rings*, 541). Tijdens de belegering van Helms Diepte, een vesting in Rohan, merkt Aragorn op dat de zaken er heel slecht voor staan. Legolas, de elf, antwoordt hem: 'erg slecht, maar de toestand is niet hopeloos zolang we jou bij ons hebben' (*De Twee Torens*, 696; *The Lord of the Rings*, 561). En dat is een waar woord, want Aragorn is de incarnatie van de hoop. Niet alleen symbolisch, omdat zijn afkomst en zijn kunde hoop doen herleven, maar ook omdat hij hoop *is*. In het boek, maar buiten de vertelling van de Oorlog om de Ring, staat in het eerste aanhangsel een fragment beschreven uit het verhaal van Aragorn en Arwen. De naam die Aragorn draagt voordat hem zijn afkomst als laatste afstammeling van de koningen van het Noorden bekend wordt gemaakt, is Estel, 'Hoop' (*De Terugkeer van de Koning*, 1385; *The Lord of the Rings*, 1094). In dit licht bezien is het niet onmogelijk dat Gandalf naar Aragorn verwijst wanneer hij naar Minas Tirith rijdt en tegen de verdedigers van de stad zegt: 'Moed zal thans uw beste verdediging zijn tegen de ophanden zijnde storm – dat en de hoop die ik u breng' (*De Terugkeer van de Koning*, 980; *The Lord of the Rings*, 779).[22] Denethor, de Stadhouder van Minas Tirith, heeft geen hoop. Hij ziet de macht en de legers van de Zwarte Heerser Sauron, en besluit zelfmoord te plegen. Hij legt zich in de tomben van zijn voorvaderen neer op een brandstapel en verbrandt zichzelf. Gandalf dringt er bij hem op aan dat achterwege te laten – let op de woorden die hij daarbij bezigt: 'Gij hebt niet het gezag, en geen enkele heer heeft dit, om het uur van uw dood te bepalen. Alleen de heidense koningen onder de heerschappij van de Zwarte Macht deden dit, de hand aan zichzelf slaand uit trots en wanhoop…' (*De Terugkeer van de Koning*, 1117; *The Lord of the Rings*, 887).[23]

Vergeving, medelijden, genade en hoop – vier begrippen zonder welke de strijd tegen het kwaad een verloren zaak is.

### 3. MANIFESTATIES VAN HET RELIGIEUZE IN THE LORD OF THE RINGS[24]

Een volgend verschijnsel uit *The Lord of the Rings* dat ik bespreek is te scharen onder een meer algemeen begrip van het religieuze. Hiermee bedoel ik dat het niet alleen een relatie tot een van de bestaande religieuze tradities heeft, zoals het christendom. Ik neem daarbij een vrij brede definitie van religie als leidraad, namelijk het besef van iets hogers, iets transcendents.[25] Er is iets ongrijpbaars dat de alledaagse waarneming van de wereld te boven gaat, dat het gewone overstijgt.

Waarop ik hier doel is een notie die eigenlijk in het hele boek sluimerend aanwezig is, die het boek als het ware doordesemt. In de woorden van de personages lijken er af en toe hogere machten en krachten te zijn die een hand hebben in hetgeen er gebeurt. Dat komt vooral naar voren in passages waarin woorden staan die behoren tot het domein van 'toeval, lot en geluk' (*De Reisgenoten*, 25-26).[26]

Een eerste aanwijzing hiervoor is te vinden in de Proloog van *The Lord of the Rings*. Daarin staat hoe de Ene Ring in het bezit komt van de Hobbit Bilbo: het is puur *toeval* dat Bilbo in de duistere grotten waarin hij verzeild is geraakt, de Ring vindt. Bilbo had geen flauw idee waartoe de Ring diende of dat je door hem te dragen onzichtbaar werd. Maar toen hij werd achterna gezeten door de vorige eigenaar, Gollum, was het zijn *geluk* dat Bilbo redde: toen hij zijn hand in zijn zak stak, gleed de Ring als vanzelf om zijn vinger, waardoor Gollum aan hem voorbij snelde.[27]

Elders in het boek, tijdens het overleg bij Elrond in Rivendell, zegt Gandalf hierover dat in het jaar waarin hij en anderen de Zwarte Heerser uit zijn schuilplaats verdreven, de Ring die al bijna drieduizend jaar verloren werd gewaand, is gevonden – 'een vreemd toeval, zo het toeval was' (*De Reisgenoten*, 322).[28] En al eerder zegt Gandalf tegen Frodo: 'Er zat nog iets anders achter, iets dat allerminst in de bedoeling moet hebben gelegen van de Maker van de Ring. Ik kan mij niet duidelijker uitdrukken dan door te zeggen dat Bilbo was voorbestemd om de Ring te vinden, en *niet* door de Maker ervan. In welk geval ook jij *voorbestemd* bent om hem te bezitten. En dat kan een bemoedigende gedachte zijn' (*De Reisgenoten*, 76).[29] Enige pagina's verderop verzucht Frodo: 'Waarom heb ik hem gekregen? Waarom zit ik ermee opgescheept?' (*De Reisgenoten*, 83).[30] Aragorn deelt Gandalfs mening. Tijdens dezelfde raadsvergadering bij Elrond zegt hij tot Frodo: 'Het is zo beschikt dat jij hem een tijd moet bezitten' (*De Reisgenoten*, 317).[31]

Maar voordat Frodo en zijn medereizigers in Rivendell aangekomen zijn, hebben zij eerst allerlei tegenslag te verduren gekregen. Al meteen na het verlaten van hun dorp worden zij geconfronteerd met een Zwarte Ruiter, terwijl ze er nog geen flauw benul van hebben wat of wie dat is. Die ruiter heeft hen bijna verschalkt, maar even voordat hij bij hen is komt er een groep elfen langs. Volgens hun woordvoerder is die ontmoeting 'meer dan toeval', maar wat het doel ervan zou kunnen zijn, ontgaat hem (*De Reisgenoten*, 113).[32]

Wanneer zij hun weg naar Rivendell vervolgen komen de Hobbits enkele dagen later in het al eerder genoemde oude woud, waar zij in grote problemen geraken. Gelukkig voor hen verschijnt daar Tom Bombadil als redder in nood – ook hem heb ik daarstraks al genoemd. Frodo vraagt hem: 'Hebt ge mij horen roepen, Meester, of was het louter toeval dat u op dat ogenblik tot ons voerde?' Waarop Tom antwoordt dat hij hem zeker niet gehoord heeft, en dat het derhalve toeval was dat hij daar langs kwam (*De Reisgenoten*, 165).[33]

Na hun verblijf bij Tom Bombadil maken de Hobbits kennis met Strider, oftewel Aragorn. Hij voert hen langs onbekende paden naar Rivendell. Onderweg vindt hij een lichtgroen juweel, een beril genaamd, een Elfen-steen. 'Of hij daar met opzet is neergelegd of per ongeluk is gevallen, weet ik niet' (*De Reisgenoten*, 261).[34] Later blijkt dat het geen toeval was: Glórfindel, een van de elfen uit Rivendell, had de steen daar weggelegd. Eenzelfde fenomeen doet zich voor wanneer de Hobbits Merry en

Pippin ontvoerd zijn. Pippin weet zich even aan zijn kidnappers te ont-trekken en gooit de broche van zijn mantel weg, opdat Aragorn of een andere achtervolger die kan vinden, en zo op een levensteken van de Hob-bits stuit. Wanneer Aragorn de broche ontdekt zegt hij dat die niet bij toe-val is gevallen: het is bewust gebeurd (*De Twee Torens*, 547; *The Lord of the Rings*, 444).

Uit deze beide passages blijkt dat 'toeval' – in het Engels staat er vaak 'chance' (maar ook 'fate' of 'fortune'[35]) – eigenlijk helemaal niet zo toeval-lig is. Er zit een bepaalde ratio achter. Iets dergelijks is ook aanwezig in de eerder aangehaalde woorden van Gandalf en Aragorn met betrekking tot Frodo als bezitter van de Ring. Het woord 'voorbeschikking' dringt zich op. Let in dit verband ook op hetgeen Elrond opmerkt over degenen die deelnemen aan de vergadering waarin het besluit valt over wat er met de Ring dient te gebeuren. 'Dit is het doel, waartoe ge hierheen geroepen zijt. Geroepen zeg ik, hoewel ik u, vreemdelingen uit verre landen, niet tot mij geroepen heb. Ge zijt precies op tijd bijeengekomen, bij toeval naar het schijnt. Toch is dat niet zo. Geloof maar dat het zo beschikt is, dat wij die hier zitten, en niemand anders, nu raad moeten vinden voor het gevaar waarin de wereld verkeert' (*De Reisgenoten*, 311; *The Lord of the Rings*, 259).[36]

Het is natuurlijk de vraag of 'toeval', 'chance' in *The Lord of the Rings* ook daadwerkelijk 'voorbestemming' betekent of gedetermineerd-zijn impliceert. Als dat het geval was, zou dat alle personages hun eigenheid en verantwoordelijkheid ontnemen. Het is van belang op te merken dat dege-nen die het woord 'toeval' in de mond nemen, dit uiteraard pas kunnen doen nadat zich iets heeft voorgedaan. Met andere woorden: zij interpre-teren de gebeurtenis als 'toeval', als 'chance', en daarmee als iets waarbij machten buiten henzelf aan het werk zijn – zonder dat dit het geval hoeft te zijn. Iemand in het boek kan zo'n toevallige gebeurtenis opvatten als 'voorbestemming', maar misschien is 'voorzienigheid' een beter woord. Voorzienigheid betekent dat de mensen – of Hobbits of elfen –, worden ingeschakeld in het 'plan' van de hogere machten. Men kan dat weliswaar als zodanig ervaren of beschouwen, maar de vraag is: welke betekenis moet men eraan ontlenen? En vooral: welke consequenties dient men eruit te trekken? Stel dat de voorzienigheid ervoor had gezorgd dat Frodo de Ring moest dragen, dan zegt dat nog niets over hoe hij moet handelen, over wat hij zou moeten doen. Wat een personage doet, gebeurt telkens naar het eigen goeddunken: het staat iedereen vrij te handelen zoals zij of hij wil.[37] Boromir, bijvoorbeeld, is een illustratie van iemand die naar aanleiding van dat 'toeval' hetgeen hij moet doen anders verstaat dan Gandalf of Frodo. Voor hem is het *not done* de Ring te vernietigen als je hem ook zelf kunt aanwenden om de Vijand te bestrijden: 'Zie! in onze nood brengt het toeval de macht van de Ring aan het licht. Het is een geschenk, zeg ik, een geschenk voor de vijanden van Mordor. Het is dwaasheid hem niet te gebruiken.' Hij is zich niet bewust van het gevaar dat het aanwenden van de Ring tot corruptie en ondergang leidt. Hij wil Frodo de Ring afnemen, want: 'Jij bent er ook maar bij toeval aangekomen' (*De Reisgenoten*, 514-516; *The Lord of the Rings*, 418-419).[38]

Wat niet in geringe mate bijdraagt aan het mystieke karakter van het boek zijn elementen die ook in andere godsdienstige tradities een plaats hebben: dromen en voorspellingen. Hiervan een paar voorbeelden. Wanneer Frodo in het huis van Tom Bombadil verblijft, droomt hij de eerste nacht van iemand die boven op een hoge toren staat en door een adelaar daarvandaan wordt weggevoerd. Deze droom blijkt een visioen te zijn van hetgeen er met Gandalf is voorgevallen (*De Reisgenoten*, 167 en 336; *The Lord of the Rings*, 142 en 278). De tweede nacht droomt Frodo opnieuw. Nu heeft hij een visioen van 'een lied dat als een vaag schijnsel achter een grijs regengordijn vandaan scheen te komen en al sterker werd en het gordijn in glas en zilver deed veranderen, tot het tenslotte helemaal verdween en er een ver groen landschap voor hem golfde onder een snel klimmende zon'. Pas helemaal aan het eind van het boek krijgt de lezer de oplossing van deze raadselachtige droom: het is een visioen van het verre Westen, waarheen Frodo samen met de elfen vaart, het land waar de goden verblijven (*De Reisgenoten*, 177 en *De Terugkeer van de Koning*, 1346; *The Lord of the Rings*, 150 en 1068-1069).

Een tweede voorbeeld. Hierin zijn droom en voorspelling gecombineerd. Boromir is naar Rivendell gereisd vanwege een gedicht dat hij en zijn broer in een droom hebben gehoord. Een stem die uit het Westen klonk, sprak: 'Zoek het Zwaard dat is geschonden; / In Imladris leeft het voort; / De raad die zal worden gegeven / Is sterker dan Morgul-woord. / Een teken zal er verkonden / Dat het lot zich voltrekken gaat / Want Isildurs Vloek zal herleven / En de halfling zal stellen de daad' (*De Reisgenoten*, 316; *The Lord of the Rings*, 263). In de droom krijgt Boromir een blik op de toekomst: in Imladris, dat is Rivendell, zal hij het zwaard zien dat gebroken was, maar opnieuw gesmeed, weer ten strijde zal trekken. Hij neemt er kennis van de besluiten die worden genomen over Isildurs Vloek, oftewel de Ring, en hij verneemt dat halflingen, Hobbits, een belangrijke rol vervullen in de gebeurtenissen die op stapel staan.

Het laatste voorbeeld dat ik hier geef, betreft enkel een profetie die toen zij werd gedaan, een verre toekomst betrof – de profetie is ook weer in dicht-vorm.[39] Ik zal haar hier niet aanhalen, maar de voorzegging is afkomstig van een ziener van de laatste koning in het Noorden. Zij gaat over de doorgang in een gebergte die bekend staat onder de naam 'De Paden der Doden'. Niemand heeft die paden ooit betreden en alleen hun naam al doet stervelingen huiveren. De voorspelling luidt als volgt. Wanneer de nood hoog is en er een dreiging van eeuwige duisternis, afkomstig uit het Oosten, over de wereld ligt, dan zal de erfgenaam van de koningen uit het Noorden zich op dat pad begeven om de doden die er huizen ter verantwoording te roepen en te ontbieden. Precies deze situatie doet zich voor, en het is Aragorn die de Paden der Doden betreedt (*De Terugkeer van de Koning*, 1022 [zie ook *De Twee Torens*, 651]; *The Lord of the Rings*, 812 [zie ook 524]).[40]

### The Road Goes Ever On

Al is er niet direct een god in Middle-earth aan te wijzen, toch heb ik in de aangehaalde voorbeelden laten zien dat Tolkiens claim dat *The Lord of the Rings* een religieus en katholiek boek is, bepaald niet onterecht is. Deze dingen samen zouden mede kunnen verklaren waarom *The Lord of the Rings* zoveel mensen aanspreekt en voor velen zelfs het beste boek van de eeuw is. Maar de populariteit van *The Lord of the Rings*, laat dat vooropstaan, heeft uiteraard vóór alles van doen met de meeslepende wijze waarop het verhaal is geschreven (zoals Tolkien voor ogen stond). De aangehaalde christelijke elementen, bijbelse allusies en religieuze aspecten zijn daar weliswaar slechts een deel van, maar naar mijn idee wél een wezenlijk deel.

Ik wil tot slot nog een van die religieuze referenties noemen. Veel godsdiensten kenmerken zich door verwijzingen naar een andere wereld, vaak verstaan als een leven na de dood. In *The Lord of the Rings* ontbreekt zulk een verwijzing evenmin.[41] Ter illustratie haal ik een gedicht aan van Bilbo. Het komt in verschillende gedaantes in het boek voor; de beginregels zijn telkens dezelfde, de slotregels veranderen al naargelang de omstandigheden. Wanneer Bilbo voelt dat zijn dagen ten einde lopen, zingt hij:

*The Road goes ever on and on*
*Out from the door where it began.*
*Now far away the Road has gone,*
*Let others follow it who can!*
*Let them a journey new begin,*
*But I at last with weary feet*
*Will turn towards the lighted inn,*
*My evening-rest and sleep to meet.*[42]

# Literatuur

Carpenter, H. (ed.; 1981), *The Letters of J.R.R. Tolkien*, Londen: Allen & Unwin.

Duane, D. (2002), 'The Longest Sunday', in: K. Haber, *Meditations on Middle-earth*, Londen: Earthlight (Simon & Schuster), 117-128.

Gärtner, S. (2003),'Het geestelijke in de postmoderne samenleving – enkele modellen', in: *Praktische Theologie*, 30, 343-358.

Glover, D. (1984), 'Utopia and Fantasy in the Late 1960s', in: C. Pawling (ed.), *Popular Fiction and Social Change*, Londen: Macmillan Press, 185-211.

Hobb, R. (2002), 'A Barr and a Quest', in: K. Haber, *Meditations on Middle-earth*, Londen: Earthlight (Simon & Schuster), 85-100.

Meyer Spacks, P. (1968), 'Power and Meaning in *The Lord of the Rings*', in: N.D. Isaacs and R.A. Zimbardo, *Tolkien and the Critics. Essays on J.R.R. Tolkien's The Lord of the Rings*, Notre Dame, Indiana: Notre Dame University Press, 81-99.

Pawling, C. (1984), 'Popular Fiction: Ideology or Utopia?', in: C. Pawling (ed.), *Popular Fiction and Social Change*, Londen: Macmillan Press, 1-19.

Pirson, R. (1996), 'Who Are You, Master? On the Nature and Identity of Tom Bombadil', in: *Lembas Extra 1996*. Tolkien Genootschap 'Unquendor', Leiden, 25-48.

Pirson, R. (1999), 'Tom Bombadil's Biblical Connections', in: *Mallorn. The Journal of the Tolkien Society* 37, 15-18.

Shippey, T. (1982), *The Road to Middle-earth*, Londen: Allen & Unwin.

Sölle, D. (1973), *Realisation. Studien zum Verhältnis von Theologie und Dichtung nach der Aufklärung* (Darmstadt/Neuwied: Luchterhand.

Tolkien, J.R.R. (1937), *The Hobbit, or There and Back Again*, Londen: Allen & Unwin.

Tolkien, J.R.R. (1977), *The Silmarillion* (ed. Chr. Tolkien), Londen: Allen & Unwin.

Tolkien, J.R.R. (1978), *The Road Goes Ever On. A Song Cycle. Music by Donald Swann, Poems by J.R.R. Tolkien*, Londen: Allen & Unwin.

Tolkien, J.R.R. (1979), *In de ban van de ring. De Reisgenoten*, Utrecht: Het Spectrum.

Tolkien, J.R.R. (1979), *In de ban van de ring. De Twee Torens*, Utrecht: Het Spectrum.

Tolkien, J.R.R. (1979), *In de ban van de ring. De Terugkeer van de Koning*, Utrecht: Het Spectrum.

Tolkien, J.R.R. (1980), *Unfinished Tales* (ed. Chr. Tolkien), Londen: Allen & Unwin.

Tolkien, J.R.R. (1983-1996), *The History of Middle-earth* (twaalf delen; ed. Chr. Tolkien), Londen.

Tolkien, J.R.R. (1990), *The Lord of the Rings*, de luxe edition, Londen: Hyman.

Weima, J. (1981), *Reiken naar oneindigheid. Inleiding tot de psychologie van de religieuze ervaring*, Baarn: Ambo.

1. Carpenter, 1981, 172. De brief is gedateerd op 2 december 1953. Zie hiervoor ook de bijdrage van Rolf Bremmer aan deze bundel, p. 80.

2. Daarnaast valt te denken aan het feit dat velen de kerken steeds vaker als te moralistisch en te dogmatisch ervaren, of zelfs te rationalistisch – in de zin van: te weinig oog voor het magische, het buitengewone; wat dit laatste ook precies zijn mag.

3. In haar boek *Realisation* gaat Dorothee Sölle op een kwestie als deze in met betrekking tot literatuur in het algemeen. Noties en begrippen die in een kerkelijke of traditioneel christelijke context voor velen geen zeggingskracht meer hebben, kunnen 'zich in de literatuur op een nieuwe manier in seculiere samenhangen *realiseren*: 'de functie van religieus taalgebruik in de literatuur bestaat erin wereldlijk te realiseren wat de traditionele religieuze taal verhullend uitsprak. *Realisation* is de wereldlijke concretisering van datgene wat in de taal van de godsdienst "gegeven" of "toegezegd" is' (Sölle, 1973, 29). (Gärtner, 2003). Literatuur neemt, kortom, op een aantal gebieden de plaats van de christelijke religie in.

4. Diana Duane, een andere Amerikaanse schrijfster: 'The world I lived in had been immeasurably broadened' (Duane, 2002, 124). In het boek ondergaat Koning Théoden van Rohan eenzelfde ervaring: 'Uit de schaduwen der legenden begin ik een weinig te begrijpen van het wonder van de bomen, denk ik. Het zijn vreemde tijden. Lang hebben wij onze dieren en velden verzorgd, onze huizen gebouwd, onze werktuigen gemaakt, of zijn uitgereden om aan de oorlogen van Minas Tirith deel te nemen. En dat noemden wij het leven van de Mensen, de wijze waarop de wereld leeft. Wij bekommerden ons weinig om wat buiten de grenzen van ons land lag. Wij hebben liederen die van deze dingen verhalen, maar wij beginnen ze te vergeten en leren ze slechts aan kinderen, als een achteloze gewoonte. En nu zijn de liederen in ons midden gekomen uit vreemde plaatsen en lopen zichtbaar onder de zon' (*De Twee Torens*, 712; *The Lord of the Rings*, 573).

5. Op universiteitscampussen in de Verenigde Staten waren graffiti te lezen met teksten als: 'Frodo lives' en 'Gandalf for president'. Zie hiervoor ook de bijdrage van Rolf Bremmer, p. 70.

6. De Engelse tekst luidt: 'Fey he seemed, or the battle-fury of his fathers ran like new fire in his veins, and he was borne upon Snowmane like a god of old, even as Oromë the Great in the battle of the Valar when the world was young' (*The Lord of the Rings*, 871).

7. *The Silmarillion* werd gevolgd door een groot aantal andere geschriften (ruim vijfduizend pagina's) over Middle-earth. Deze zijn eveneens uitgegeven door Christopher Tolkien: *Unfinished Tales* en *The History of Middle-earth* (twaalf delen). Deze werken laat ik in deze bijdrage buiten beschouwing.

8. De Valar worden in *The Lord of the Rings* nog twee keer genoemd. De eerste keer is dat in het hoofdstuk 'Of Herbs and Stewed Rabbit', waarin een van de soldaten van Gondor uitroept: 'May the Valar turn him aside' wanneer hij en anderen onder de voet dreigen te worden gelopen door een olifant – de olifant zwenkt op het laatste moment terzijde (*The Lord of the Rings*, 687; *De Twee Torens*, 856). De tweede keer is tijdens de kroning van Aragorn in het hoofdstuk 'The Steward and the King': 'Now come the days of the King, and may they be blessed while the thrones of the Valar endure (*The Lord of the Rings*, 1004). Merkwaardigerwijs ontbreken de laatste zeven woorden in de Nederlandse vertaling. Voor de volledigheid zij vermeld dat de Valar ook verschijnen in het eerste Aanhangsel: daar worden zij genoemd in verband met de ondergang van Númenor, een soort Atlantis (*De Terugkeer van de Koning*, 1349-1064; *The Lord of the Rings*, 1070-1074).

9. Ook al zijn veel van de hedendaagse lezers niet (meer) bekend zijn met de bijbel, toch zal de meesten van hen het af en toe bijbelse (archaïsche) taalgebruik niet ontgaan. Het taalgebruik op zich maakt het boek al bijzonder. Wie er oog voor heeft, ziet dat de verschillende personages ieder een heel ander soort taal bezigen.

10. Ofschoon er wel degelijk over hem is gespeculeerd, zie bijvoorbeeld Pirson, 1996.

11. Tolkien wees deze suggestie resoluut van de hand; zie Carpenter, 1981, 191-192.

12. Bijvoorbeeld Johannes 4,26; 8,58 en 18,5. Voor Tom Bombadil en de bijbel, zie Pirson, 1999.

13. Zie voor nog enkele andere voorbeelden het artikel van Rolf Bremmer in deze bundel.

14. 'Before they ate, Faramir and all his men turned and faced west in a moment of silence. Faramir signed to Frodo and Sam that they should do likewise. "So we always do," he said, as they sat down: "we look towards Númenor that was, and beyond to Elvenhome that is, and that which is beyond Elvenhome and will ever be. Have you no such custom at meat?"' (*The Lord of the Rings*, 702-703).

15. Een vertaling van en aantekeningen over het lied zijn te vinden in Tolkien, 1978, 72-74.

16. Vergelijk ook 'Moge Elbereth u beschermen' (*De Reisgenoten*, 113).

17. 'Naked was I sent back – for a brief time, until my task is done' (*The Lord of the Rings*, 524). Gandalf doet nog enkele van zulke uitspraken. Op de brug van Khazad-dûm, vlak voordat hij sterft, zegt hij tot de Balrog: 'Ge kunt niet voorbij (…) Ik ben een dienaar van het Geheime Vuur, maker van de vlam van Anor. Ge kunt niet voorbij. Het donkere vuur zal u niet helpen, Vlam van Udûn. Ga terug naar de Schaduw. Ge kunt niet voorbij' (*De Reisgenoten*, 426). In het derde deel, wanneer hij met Denethor, de Stadhouder van Gondor spreekt, verwijst Gandalf ook naar zijn status als iemand die vanwege een missie in Middle-earth is. 'En wat mij betreft, ik zal niet volledig falen in de uitvoering van mijn taak, ook al wordt Gondor vernietigd, zo er iets door deze nacht gaat dat nog schoon kan worden of vrucht kan dragen en bloeien in de tijd die komt. Want ik ben ook een stadhouder. Wist ge dat niet?' (*De Terugkeer van de Koning*, 992).

18. Zie het hoofdstuk 'The Passing of the Grey Company', waarin Aragorn (met anderen) 'the Paths of the Dead' betreedt.

19. Zie bijvoorbeeld Frodo's woorden tot Sam wanneer hij op weg is naar de Grey Havens om naar het Westen te vertrekken: 'I tried to save the Shire, and it has been saved, but not for me. It must often be so, Sam, when things are in danger: some one has to give them up, lose them, so that others may keep them' (*The Lord of the Rings*, 1067).

20. Gandalf merkt ook op: 'the pity of Bilbo may rule the fate of many – yours not least' (*The Lord of the Rings*, 73; *De Reisgenoten*, 81).

21. Maar die hoop is, zo zegt Tolkien, 'hope without guarantee' (Carpenter, 1981, 237)

22. Zie ook wat Gandalf zegt naar aanleiding van het gezegde 'The hands of the king are the hands of a healer': 'Men may long remember your words, Ioreth! For there is *hope* in them' (*The Lord of the Rings*, 894; cursivering RP) – weer een impliciete verwijzing naar Aragorn.

23. Met het woord 'heidens', een *Fremdkörper* in het boek, verraadt Tolkien zijn eigen christelijke standpunt. Zie ook de bijdrage van Bremmer, p. 82.

24. Het 'religieuze' in *The Lord of the Rings* is zeker niet beperkt tot de christelijke traditie; het boek bevat een veelheid aan zogeheten 'heidense' elementen, bijvoorbeeld de magie van plaatsen als Rivendell en Lothlórien, de Barrow-wights en de onverschrokken moed, zoals ook is te vinden in Noordse mythologische vertellingen.

25. Weima, 1981, 25-30.

26. Ik ben op dit spoor gezet door Shippey, 1982, m.n. 114-115; zie ook Meyer Spacks, 1968.

27. In het Engels is er sprake van 'accident', 'mere luck' en 'his luck' (*The Lord of the Rings*, 24).

28. *The Lord of the Rings*, 267: 'a strange chance, if chance it was'.

29. In de Nederlandse vertaling staat een storende fout. In de zin met 'In welk geval...' staat niet 'hij', maar 'jij' ('you'; *The Lord of the Rings*, 69).

30. In het Engels staat het er nog sterker: 'Why did it come to me? Why was I *chosen*' (*The Lord of the Rings*, 74; cursivering RP).

31. Ook hier is het Engels nadrukkelijker: 'it has been ordained that you should hold it for a while' (*The Lord of the Rings*, 264).

32. 'More than chance', luidt de Engelse omschrijving (*The Lord of the Rings*, 98).

33. In de Engelse editie vraagt Frodo of het 'just chance' was dat hij voorbij kwam. Volgens Tom was het inderdaad 'just chance' – 'if chance you call it' (*The Lord of the Rings*, 141).

34. In het Engels is het verband met andere plaatsen duidelijker: 'Whether it was set there, or left by chance, I cannot say' (*The Lord of the Rings*, 217).

35. 'Fortune or fate helped you', is Gandalfs oordeel nadat Frodo bij de aanval door de Nazgûl 'slechts' een schouderwond heeft opgelopen, en de messteek niet tot in zijn hart is doorgedrongen.

36. Vergelijk ook de woorden van Galadriel: 'Misschien dat de paden die elk van u zal betreden reeds aan uw voeten liggen, hoewel ge ze niet ziet' (*De Reisgenoten*, 475; *The Lord of the Rings*, 388).

37. Vgl. Gandalfs woorden: 'All we have to decide is what to do with the time that is given us' (*The Lord of the Rings*, 64; *De Reisgenoten*, 69).

38. Denethor, Stadhouder van Gondor en Boromirs vader, deelt de mening van zijn zoon. Zijn andere zoon, Faramir, heeft Frodo en Sam gesproken en hen verder laten trekken naar Mordor – ook al weet hij dat zij de Ring bij zich dragen. Wanneer hij daarvan verslag doet aan Denethor, reageert die daar furieus op en geeft hem te ken-

nen dat Boromir, die inmiddels is gesneuveld, loyaler was jegens hem dan Faramir. 'He would have remembered his father's need, and would not have squandered what *fortune* gave. He would have brought me a mighty gift' (*The Lord of the Rings*, 844; cursivering RP. Zowel Denethor als Boromir ziet de Ring als een geschenk – toen Gollum de Ring bemachtigde noemde hij hem eveneens een geschenk: 'my birthday present').

**39.** Zie ook de slotalinea van *The Hobbit*: ' "Then the prophecies of the old songs have turned out to be true, after a fashion!" said Bilbo. "Of course!" said Gandalf. "And why should not they prove true? Surely you don't disbelieve the prophecies, because you had a hand in bringing them about yourself? You don't really suppose, do you, that all your adventures and escapes were managed by *mere luck*, just for your sole benefit?" ' (272; cursivering RP).

**40.** Tot de profetieën behoort eveneens de voorzegging dat de ondergang van Heer van de Nazgûl niet door 'the hand of a man' zal zijn – hij gaat ten onder door de gemeenschappelijke inspanningen van Éowyn, een vrouw, en Merry, een Hobbit. Denk ook aan hetgeen van oudsher wordt gezegd over de hoorn van Boromir, een generaties oud erfstuk. Als de hoorn in nood wordt geblazen binnen de grenzen van het rijk Gondor, zal hij altijd opgemerkt worden.

**41.** De problematiek rondom een leven na de dood komt uitgebreider aan de orde in *The Silmarillion* en in diverse delen van *The History of Middle-earth* (zie noot 7).

**42.** *The Lord of the Rings*, 1024; *De Terugkeer van de Koning*, 1291.

# Over de auteurs

*Prof.dr. Rolf H. Bremmer jr.* (1950) is als universitair hoofddocent Engelse filologie verbonden aan de opleiding Engelse taal en cultuur van de Universiteit Leiden. Hij doceert in die hoedanigheid Oud- en Middelengelse taal- en letterkunde en de geschiedenis van de Engelse taal. Daarnaast is hij bijzonder hoogleraar Friese taal- en letterkunde in Leiden.

*Dr. Bert Jan Lietaert Peerbolte* (1963) studeerde theologie in Groningen en Leiden en werkt als docent Nieuwe Testament aan de Theologische Universiteit Kampen (SoW). Hij houdt zich met name bezig met de relatie van het vroege christendom tot het jodendom. Onder zijn publicaties zijn *The Antecedents of Antichrist* (Leiden, 1995) en *Paul the Missionary* (Leuven, 2003).

*Prof.dr. Rein Nauta* (1944) is hoogleraar Godsdienst- en Pastoraalpsychologie aan de Theologische Faculteit Tilburg

*Dr. Ron Pirson* (1963) studeerde theologie in Tilburg. Hij is universitair docent aan de Theologische Faculteit Tilburg (Universiteit van Tilburg). In zijn publicaties richt hij zich vooral op enkele boeken uit het Oude Testament en het literaire oeuvre van J.R.R. Tolkien.

*Dr. Birgit Verstappen* (1961) is werkzaam als staffunctionaris van het bisdom Breda. Zij studeerde in Tilburg theologie (hoofdvak katechetiek) en is in 2000 in Nijmegen gepromoveerd op een systematisch-theologische studie.

*Dr. T.H. Zock* is universitair docent godsdienstpsychologie aan de Faculteit der Godgeleerdheid en Godsdienstwetenschap in Groningen.